鄭樑生著

文史哲學集成

中日關係史研究論集（十）

文史哲出版社印行

國家圖書館出版品預行編目資料

中日關係史研究論集. 十 / 鄭樑生著. -- 初版. -- 臺北市：文史哲, 民 89
面： 公分. -- (文史哲學集成；429)
含參考書目
ISBN 957-549-316-8(平裝)

1.中國 - 外交關係 - 日本

643.128　　89011405

文史哲學集成

中日關係史研究論集(十)

著者：鄭樑生
出版者：文史哲出版社
登記證字號：行政院新聞局版臺業字五三三七號
發行人：彭正雄
發行所：文史哲出版社
印刷者：文史哲出版社
臺北市羅斯福路一段七十二巷四號
郵政劃撥帳號：一六一八〇一七五
電話 886-2-23511028・傳眞 886-2-23965656

實價新臺幣 四五〇元

中華民國八十九年八月初版

ISBN 957-549-316-8

中日關係史研究論集（十）目次

序

本論文集收錄本人近來在國際學術研討會中宣讀，或發表於學術雜誌上有關中日關係史研究的篇什六篇。

筆者曾於《明代中日關係研究》，第二章〈明朝的對外政策〉，第二節「勘合制度」，論及明朝皇帝頒賜給外國的勘合問題。前此日本學者柏原昌三與田中健夫兩位教授已對其形狀、尺寸及功用有所討論，而其說雖有值得參考者，但未必令人完全信服。當時，筆者對他們所言勘合的尺寸與其功用雖表贊同之意，惟在形狀方面則未予認同，認為它類似今日所常見之收費三聯單，此乃由於它備有兩份存根——底簿之故。事經數年之後，田中健夫教授對筆者所提意見表示異議；三年前則林呈蓉教授於《華岡文科學報》第二十一期（民國八十六年三月），以〈明代勘合之形狀與製法〉為題，探討明廷為外國製作之勘合的形狀與其製法問題。惟田中、林兩教授所論述者，俱未能舉實物以說明，仍不出臆測之範疇，故他們的見解難免啓人疑竇。一年多以前，筆者得中國社會科學院歷史研究所所長陳祖武教授之助，從中國第一檔案館找到清順治十年七月製作的勘合照相版。順治十年距明朝滅亡僅九年餘，可據以推測其型式與明廷所製作者當不會有很大的差異。故本《論集》首篇〈再論明代勘合〉，除言前此學者對此勘合的形狀所表示的意見外，且根據順治年間發行的勘合，來論述筆者對明代賜與外國之勘合之形狀，與其製作方式等所持之見解。

衆所周知，日本豐臣秀吉曾於明萬曆二十年四月，遣其部將帥舟師數百艘，從九州肥前國之名護屋渡對馬海峽，兵分八路，入侵朝鮮。此一侵略事件，即所謂「壬辰倭亂」，日人稱爲文永之役。侵略部隊在朝鮮登陸後，以破竹之勢攻城略地，很快的渡越漢江，故侵略軍入侵僅十九日，便攻陷王京。當事態緊急之際，李恒福首倡請援於明，其意見被採納，於援例遣聖節使時，以柳夢龍爲使，特告以宣祖入遼東內附事，請明軍救援。對遣軍援朝問題，明廷雖有過一番爭執，但終於應允其乞求，以宋應昌爲經略，李如松爲提督薊遼保定山東等處軍務防海禦倭總兵官，率領大軍援朝。宋應昌、李如松受命後，將兵員集結遼東，於萬曆二十年十二月末渡鴨綠江，翌年正月上旬逼近平壤。同月八日，開始總攻。九日，倭軍敗走。李如松雖於平壤大捷，竟於二十七日碧蹄館之役，輕敵貪功，不帶南兵僅率家丁千餘騎，遂爲倭所乘。前此由遼東巡撫郝杰所遣祖承訓之援軍五千，進軍平壤後，因不諳地理而救援失敗。承訓之敗震驚國內，乃懸賞有能恢復朝鮮者，給賞銀萬兩，世襲伯爵。結果將神機三營遊擊將軍銜授與出身浙江的沈惟敬，使其前往平壤議和。此一議和過程曲折且富戲劇性，故本《論集》第二篇〈壬辰倭亂期間的和談始末〉，將其議和經緯作爲探討之重點。

中國東南沿海州縣之倭患始自元末，明太祖朱元璋即位之翌年即受到倭寇的侵擾。故太祖除遣人持詔赴日告以成立新王朝，促其來貢外，同時也對倭寇之侵華提出強烈的抗議。並且在洪武四年十二月，命靖海侯吳禎籍方國珍所部溫州、台州、慶元三府軍士，及蘭秀山無田糧之民，凡十一萬餘人，隸各衛爲軍，且禁沿海居民私自出海，以絕後患。由於太祖之加強海禁，所以倭寇雖不時侵掠東南沿海郡縣，但災害尙不嚴重。中國倭患之漸趨劇烈，始於嘉靖二年日本細川、大內兩造貢使先後至浙江寧波，因互爭眞僞而引發「寧波事件」，從而明朝政府嚴格執行日本貢使來華之各項規定，及浙江巡撫朱紈因嚴格執行海禁，引起閩、浙大姓之勾倭與從事走私勾當者之不安忌恨共謀排斥他，致使他失位、自殺之後。明倭寇最猖獗的時期在嘉靖三十年代至隆慶年間，惟至隆慶末年已大致平定。倭寇的平定雖與軍備的充實有關，但也是用兵進步的結果，而日本豐臣秀吉以後的禁戢海盜活動，也應有若干作用。然使海寇完全平靜的原因，似在於隆慶以後，准許以海澄爲對外貿易之港埠，使中國人民得往販東西兩洋。如據史乘的記載，馬祖東沙島於萬曆年間曾先後三次受到倭寇的侵襲，故本《論集》第三篇〈明萬曆四十五年東湧平倭始末〉，擬以其第三次入侵爲探討之中心論點。

中國江南之受倭寇侵掠，始於洪武二年而蘇州首當其衝，當時那些寇盜不僅劫掠財貨，且殺傷居民，故沿海之地皆患之。江南地區所受倭寇之害最嚴重的時期在嘉靖三十年代，亦即浙江巡撫朱紈失位之後。嘉靖三十年代的倭亂，初起於內地，奸商王直、徐海等常闌出財物，與外國商人交易而皆主於餘姚謝氏。時間一久，謝氏頗抑勒其值。由於那些干犯海禁的走私商人催討甚急，故謝氏忖度負欠多難償還，則恐嚇他們謂：「將報官」。那些私商既恨且懼，乃糾合徒黨番客夜劫謝氏，並縱火焚其宅第，殺男女而去，從而島夷及海中巨盜所在劫掠，乘汛登岸，動輒以倭寇爲名，大肆劫掠。因此，一聞賊至，即各鳥獸竄，室廬爲空，官兵禦之，望風奔潰。此一情勢蔓延及於閩海、浙、直之間。致東南沿海各地不斷調兵增餉，海內騷動，明朝政府爲之旰食。如此者達六七年，至於竭東南之力，僅乃勝之。由於倭寇的不斷擾害，故軍兵民人之因而喪失生命、財產者不知凡幾。所以本《論集》第四篇〈明代倭亂對江南地區人口所造成的影響〉，擬就嘉靖三十二年至三十五年之間，江浙地區軍兵民人之因渠魁徐海、王直引倭人入寇而傷亡之情形作爲探討之重點，以瞭解當時倭亂對此一地區人民所造成傷害之端倪。

明代倭寇曾經騷擾中國東南沿海地方長達兩百年之久，研究這方面的問題者頗不乏人。他們各有獨自的看法，值得傾聽的見解亦復不少。直到目前爲止，日本學者有關倭寇的論著，絕大多數都將其重點放在問題的個別研究，尤其將論述的焦點朝向倭寇的起因與其組成分子方面，故能將發生於明代的大寇亂作整體把握者，可謂絕無僅有。日本學者在第二次世界大戰以前，或在大戰期間所研究累積下來的成果，我們雖無法一一列舉，但在戰後往往被認爲只是「海寇」的戰時論著中，無論他們的著眼點或論點是甚麼，他們對問題的處理情形如何，卻在發掘基礎的史實方面有其貢獻。中國學者有關倭寇問題的著作在十六世紀中葉，亦即在倭寇尚未殄滅的明嘉靖四十年代已開始問世，此可能因當時東南沿海地區所受災害嚴重使然。由於當時將寇害紀錄下來的，如非直接參與剿倭的，就是耳聞目睹其事的，或爲宣諭日本而遠渡重洋前往彼邦的，故其著作信而有徵，提供了後人研究相關問題的寶貴資料。雖然如此，卻有部分資料爲學者們所忽略，因此，本《論集》第五篇〈明代倭寇研究之回顧與前瞻〉，即對中、日兩國學者所爲明代倭寇研究作一回顧，以策勵今後應努力的方向，並對前此容易被忽略的相關資料作簡單的介紹，以爲今後有志研究此一學術領域者之參考。

船隻之在江上或海洋中航行，最重要者莫過於平安，故航海者在船隻啓碇前，通常都要舉行向上蒼或海神祈求能夠平安順利航行的儀式，而且是由政府舉辦的。祈風祭海的風尙，實可謂古今中外，無不皆然。除祈風外，也還舉行祭海，其所以舉行這兩種儀式，雖都是爲求航海平安，但都帶有迷信色彩。雖然如此，卻反映當時的主政者對發展海外貿易的重視，和對外國商人至中國貿易的關懷。祈風祭海乃對自然界的祈求，這種祈求之是否有效，固然值得懷疑，不過當他們遇到人禍，亦即他們在航海途中遇到盜匪劫掠，則除非有足以制服那些盜匪的武力，便只有任憑他們宰割了。在清乾隆末年，曾經發生隨貢使至中國的琉球國貨船在浙江溫州外洋遇劫的事件。此一事件雖與明代倭寇無關，但同屬海寇的劫掠行爲，所以似有必要把事情的經過，及當時的中國政府對屬國人民遇難時所採取的態度作一番探討，以瞭解其關愛屬國情形之一端。因此一事件爲筆者所見文獻上的唯一案例，故本《論集》末篇〈清廷對琉球遇劫貨船的處置始末〉，擬利用僅有的少數資料，考察在事情發生後，閩浙地方的文武官員緝捕搶匪的經過，處置搶犯的情形，琉球貨船被劫的貨物內容，以及清政府究竟採取怎樣的措施來彌補該船的損失等。

學術研究誠不易爲，倭寇研究亦然。以上諸篇文字，疏漏之處在所難免，尙祈海內外方家不吝賜教。

二〇〇〇年歲次庚辰仲夏　**鄭樑生**　謹識

再論明代勘合

一、前　言

十餘年前，筆者曾於《明代中日關係研究》，第二章〈明朝的對外政策〉，第三節「勘合制度」，論及明朝皇帝頒賜給外國的勘合問題。前此日本學者柏原昌三與田中健夫兩位教授已對其形狀、尺寸和功用有所討論，而其說雖有值得參考者，但未必令人完全信服。當時，筆者對他們所言勘合的尺寸與其功用雖表贊同之意，惟在形狀方面則未予認同，認爲它類似今日所常見之收費三聯單，此乃由於它備有兩份存根——底簿之故。事經數年之後，田中健夫教授對筆者所提意見表示異議；三年前則林呈蓉教授於《華岡文科學報》第二十一期（民國八十六年三月），以〈明代勘合之形狀與製法〉爲題，探討明廷爲外國製作之勘合的形狀與其製法問題。惟上舉各篇什所論述者，俱未能舉實物以說明，仍不出臆測之範疇，故這些見解難免啓人疑竇。

日前，筆者得中國社會科學院歷史研究所所長陳祖武教授之助，從中國第一檔案館找到清順治十年（一六五三）七月製作的勘合照相版。順治十年距明朝之滅亡僅九年餘，可據以推測其勘合型式與明廷所製作者當不會有很大的差異，故本文擬不辭覼縷，首先論述明廷將勘合頒給外國的緣由，次言前此學者對此勘合的形狀所表示的意見，然後根據順治年間發行的勘合，來論述筆者對明代賜與外國之勘合之形狀與其製作方式等所持之見解，以就教於大方。

二、明代勘合

筆者雖曾於《明代中日關係研究》一書中論及明代的勘合制度，但爲使讀者對後文所作論述能有更進一步的瞭解，擬在此再作簡單的說明。

衆所周知，勘合係一種符節，中國使用勘合的場合，不限於對外貿易，即使任免官吏，派遣使節，傳達軍令方面也用它。就傳達軍令方面言之，古時調遣軍隊或檢驗軍籍，用竹、木作符契，上蓋印信，剖爲兩半，一半交與奉令前往調遣的人，一半交與被調遣的主將。兩半相併，勘驗騎縫印信是否符合，稱爲「勘合」。宋、明用魚合。舊時皇城車駕出入，亦須勘合。《唐律疏義》云：

> 不以符合從事者，謂執兵之司，得左符，皆用右符，勘合始從發兵之事。（註一）

由此觀之，勘合之使用始於軍隊。

就明代發給外國的勘合言之：明太祖朱元璋爲防倭寇的入侵，曾於洪武四年發布海禁，由政府統制對外貿易（註二），故當時的外來貿易，只許貢舶至中國。當允許某一國家遣貢舶時，明朝就事先頒給蓋有印信的證明書——勘合，於其貢舶抵中國之際核對，以辨其眞僞。

明代頒與各國的勘合，由禮部發行。明首次頒發勘合給海外各國的時間爲洪武十六年（一三八三），頒給對象是暹羅、占城、眞臘。（註三）《大明會典》，卷一〇八，〈禮部〉「朝貢」條，及《皇明外夷朝貢考》，卷下，記載頒布勘合事例云：

> 洪武十六年，始給暹羅國勘合號簿，以後漸及諸國。每國勘合二百道，號簿四扇。如暹羅國，暹字號勘合一百道，及暹、羅字號底簿各一扇，俱送內府；羅字號勘合一百道，及暹字號底簿一扇，發本國收塡；羅字號底簿一扇，發廣東布政司收比，餘國亦如之。

由此可知明廷設勘合的目的。此事亦可由宣德九年（一四三四）六月二十四日，明朝使節雷春、裴寬一行攜帶頒給日本室町幕府的宣德勘合之際，所攜禮部於八年六月十一日發給之〈咨〉獲得佐證。《戊子入明記》所錄該咨文云：

> 行在禮部爲關防事該
>
> 欽依照例編製日本國勘合。查得洪武十六年間，欽奉太祖皇帝聖旨，南海諸番國，地方遠近不等，每年多有番船往來進貢，及做買賣的。（買賣）的人多有假名託姓，事甚不實，難以稽考，致使外國不能盡其誠款。又怕有去的人，詐稱朝廷差使，到那裏生事，需索擾害他不便恁。禮部家置立半印勘合文簿，但是朝廷差去的人，及他那裏差來的，都要將文書比對，硃字號硃墨相同，方可聽信。若比對不同，或是無文書的，便是假的，都拏將來。欽此，例欽遵外，今置日字一號至一百號勘合一百道，底簿二扇；本字一號至一百號勘合一百道，底簿二扇。內將日

字號勘合，并日、本二號底簿二扇收留在；及將本字號勘合，并日字號底簿一扇，差人齎赴日本國收受。將本字號底簿一扇，發福建布政司收貯。今後但有進貢及一應客商買賣來者，須於本國開塡勘合內開寫進貢方物件數，本國并差來人附搭物件，及客商物貨，乘坐海船幾隻，船上人口數目，逐一於勘合上開寫明白。若朝廷差使臣到本國，須要比對硃墨字號相同，方可遵行。使臣回還本國，如有贈送物件，亦須於勘合內逐一報來，庶知遠方禮意。如無勘合，及比對不同者，即係詐僞，將本人解送，赴京施行。今將日字號底簿一扇，本字號勘合一百道，發去日本國收受，書塡比對施行。

右置訖

宣徳捌年陸月　日

以上所述亦即明太祖爲防倭入侵，及由政府統制對外貿易，事先頒給蓋有騎縫章的證明書——勘合，於其貢船抵中國之際核對，以辨其眞僞。由此咨文，我們當可瞭解明代對外國的勘合制度的梗概。

當時朝貢於明的多至數十國，其頒給勘合的，僅有下列十五個國家而已。上舉《大明會典》，卷一〇八，〈禮部〉「朝貢」條，及《皇明外夷朝貢考》，卷下云：

每改元則更造換給　計有勘合國分

暹羅　日本　占城

爪哇　滿剌加　眞臘

蘇祿國東王	蘇祿國西王	蘇祿國峒王
柯支	浡尼	錫蘭山
古里	蘇門答剌	古麻剌

值得注意的是朝鮮、琉球兩國不給勘合。如據《皇明外夷朝貢考》，卷下，〈外國四夷符勅勘合沿革事例〉的記載，則未給勘合的理由如下：

凡各國四夷來貢者，惟朝鮮素號秉禮，與琉球國入賀謝恩，使者往來，一以文移相通，不待符勅勘合爲信。

亦即朝鮮、琉球兩國對明最能盡禮節，態度誠懇而文移相通，所以不須符勅、勘合。然明頒給勘合的對象，除上舉十五國外，也給與部分土官衙門。發給土官衙門的叫做信符勘合。《大明會典》，卷一〇八，〈禮部〉，及《皇明外夷朝貢考》，卷下，〈計有符勅勘合土官衙門〉條云：

凡信符金牌，永樂二年始置，以給雲南徼外土官。其制銅鑄信符五面，內陰文者一面。上有文、行、忠、信四字，與四面合，編某字一號至一百號。批文勘合底簿，其字號，如車里，以車字爲號；緬甸，以緬字爲號。陰文信符勘合，俱付土官，底簿付雲南布政司；其陽文信符四面，及批文一百道，藏之內府。朝廷遣使，則齎陽文信符及批文各一，至布政司比同底簿，方遣人送使者以往。土官比同陰文信符及勘合，即如命奉行。信符之發，一次以文字號，二次行字，次忠，次信，周而復始。

並且又置紅牌，鏤金字勅書諭之云：

凡有調發及當辦諸事，須憑信符乃行，如越次，及比字號不同，或有信符而無批文，有批文而無信符者，即是詐僞，許擒之赴京，治以死罪。(註四)

我們如比較上舉兩種史料，便可知頒給各國的勘合，與發給土官衙門者之差異。

明廷首次爲日本製作之勘合爲永樂勘合，它與發給其他各國、土官衙門者相同，「每改元則更造換給」，共頒永樂、宣德、景泰、成化、弘治、正德六次，乃如上舉禮部〈咨〉所示，係用「日本」兩字來製作日字勘合百道，日字號底部二扇；本字號勘合百道，本字號底簿二扇。日字號勘合百道由禮部保管，其底簿則在禮部、日本各置一扇；本字號勘合百道送與日本，底簿則分別放在禮部與浙江布政司。日本貢使至中國之際，其登陸地點侷限於浙江寧波，故〈咨〉文所謂：「將本字號底簿一扇，發福建布政司收貯」云云，應爲浙江布政司之誤。明廷所遣船隻至日本時，將所攜日字勘合與日本的日字號勘合底簿比對；日本貢船至中國時，則首先將本字號勘合，與存貯在浙江布政司的本字號底簿比對，然後再與放置禮的底部簿比對，以辨別該貢船之眞僞。如要頒新勘合，必須先將未用完的悉數繳回；然弘治、正德勘合本由其西垂諸侯大內氏保管，卻以遺失爲藉口，沒有繳回。

勘合與其底簿之保管情形

勘合、底簿名稱	保管者與其保管數目	
日字號勘合	禮部（一百道）	
本字號勘合	日本（一百道）	
日字號勘合底簿	禮部（一扇）	日本（一扇）
本字號勘合底簿	禮部（一扇）	浙江布政司（一扇）

明代頒給外國的勘合之內容與其制度既如此，那麼，其型式與其製作方法又如何？下文擬先介紹前此學者所表示之見解，然後據清順治年間的勘合，來探討此一問題。

三、中、日兩國學者對勘合型式的見解

㈠、勘合的尺寸

如前文所說，明朝政府爲防倭入寇，及由政府掌握對外貿易，除於洪武四年頒布海禁，片板不許下海（註五）外，又從十六年開始，逐漸將勘合賜予諸外國以統制對外貿易。此一措施不僅使靠海維生的中國沿海居民感到極大的困擾，也令外國人士之有意前往中國者造成相當的不便，這就如日僧瑞溪周鳳（一三九一～一四七三）所說：

所謂勘合者，蓋符信也，此永樂（一四〇三～一四二四）以後之式爾。九州海濱以賊爲業者，五船十船，號日本使而入大明剽掠瀕海郡縣，是以不持日本書及勘合者，則堅防不入，此惟彼方防賊，此方禁賊之計也。自古（中、日）兩國商船，來者往者，相望於海上，故爲佛氏者，大則行化唱道之師，小則遊方求法之士，各遂其志。元朝絕信之際尚爾，況其餘乎！有勘合以來，使船之外，決無往來，可恨哉！（註六）

文中所謂「元朝絕信之際」，其所指的是元世祖於至元十一年（一二七四，甲戌之役、文永之役），及十八年（一二八一，辛巳之役、弘安之役）發動的兩次東征日本。元代的中、日兩國雖無正式邦交，然除東征期間的情勢比較緊張外，終元之世，彼此之間的商船與人員的往來不絕，所以瑞溪方纔發出如此歎言。

瑞溪雖嗟歎明朝政府所製作、發行的勘合，限制了日本人自由前往中國的意願，但他並未提及該勘合的型式。其首次提到勘合之型式者，據管見所及，爲柏原昌三教授於第二次世界大戰以前，發表於《史學雜誌》第三十一編第四、五、八、九號（大正九年四、五、八、九月）的〈日明勘合の組織と使行〉。此一篇什主要論述明朝政府所製作之勘合與日本所派遣朝貢使節的組織問題。他在本文裏言勘合的大小爲：長約二尺七寸五分（約八十二公分），寬約一尺二寸七分（約三十六公分）。此乃根據典藏於京都天龍寺妙智院的《戊子入明記》有關明宣德年間編置的〈勘合料紙印形〉的記載，與收藏勘合的木盒之大小所爲推測之尺寸。而田中健夫教授在《日本歷史》第一四九號（昭和三十五年十一月）所發表：〈勘合符の形狀〉一文亦踵其說。惟至後來，田中教授卻表示與前此不同的看法，認爲柏原教授推論過於粗糙，忽略了藏放勘合之木盒的厚度問題。由於史料裏很清楚的記載著厚四分，則盒蓋與盒底的厚度共八分。盒子內側的大小應爲長二尺七寸七分，寬一尺二寸七分。並且勘合是以布包裹後放入盒內，故勘合的尺寸理應較木盒外側小約一．五寸。由於〈渡唐方進貢諸色注文〉——赴華時所希望進貢之各種貨色裏，對日本國王所呈表文之尺寸有所說明，而經摺疊後的表文之寬度爲五寸，盒子則爲長六寸五分；表文與盒子的大小相差一寸五分。據此推測，則勘合與裝置勘合的盒子之大小的差距問題，應與此相仿。據此以觀，則勘合的紙張之大小當爲：長一尺二寸，寬二尺七寸。如以現行度量衡制度來衡量，容或有若干出入，但仍應將其大小視爲長約八十二公分，寬約三十六公分爲宜。（註七）田中此說，乃根據中村榮孝教授《日鮮關係史の研究》上冊，頁一八七～一八八之推論而修正者。（註八）中村教授的此一見解，筆者雖已在上舉《明代中日關係研究》，及其日文版《明・日關係史の研究》（東京，雄山閣）表示贊同之意，但經更進一步的思考後，認爲田中此說似仍有商榷之餘地。因爲田中此說乃將裝置勘合的木盒與其蓋子的尺寸之大小視爲相等所作之結論，然筆者認爲若盒蓋是將整個盒子都套住，則勘合的紙張之大小勢必與上舉數字有若干出入。

㈡、勘合的製法

1. 田中健夫的見解：

探討明代對外勘合之製作方法者，管見所及，以田中健夫教授爲權輿。田中在其大作《倭寇と勘合貿易》裏，根據《戊子入明記》所記載「本字壹號」之左半印章之圖形，以爲因係半印，故其製作可能有兩種方式：①「本字壹號」之圖章捺於長二尺七寸，寬二尺四寸之紙張中央。圖章蓋好以後，將該紙張從中央折成兩半，然後以其左邊之一半爲勘合，右邊之一半爲底簿。②將「本字壹號」之圖章自中央剖爲兩半，製成兩顆圖章，分別捺於長二尺七寸，寬一尺二寸的兩枚紙張上，然後以捺左半圖章者爲勘合，捺右半圖章者爲底簿。如就須製作兩扇底簿的情形推之，則似以②的說法比較妥當。（註九）惟至後來，因中村榮孝教授根據上舉《戊子入明記》〈勘合料紙印形〉謂：

> 由此觀之，兩個「本字號」之半個印章被並排寫著，所以必定是製作日字號、本字號兩個印章，將它們捺於底簿的紙張上，號碼則以毛筆來書寫。因在勘驗時須「比對硃墨字

圖一　《戊子入明記》所錄〈勘合料紙印形〉

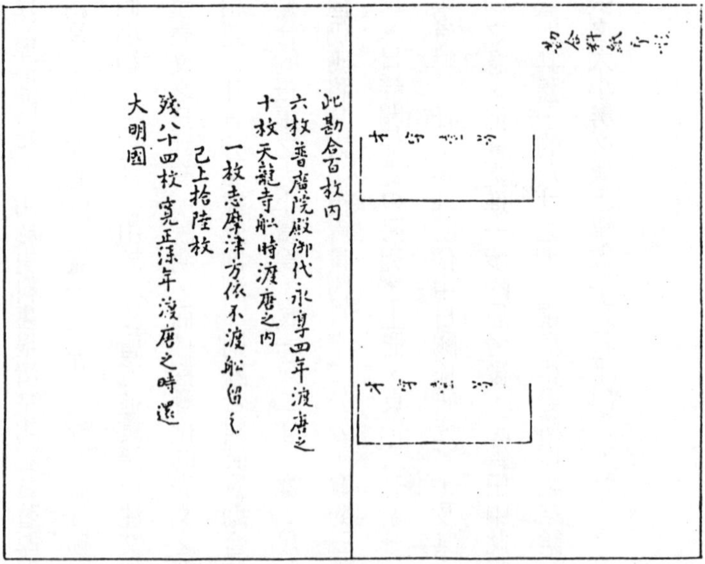

此勘合百枚內
六枚普廣院殿御代永享四年渡唐之
十枚天龍寺船時渡唐之內
一枚志摩津方依不渡船留之
已上拾陸枚
殘八十四枚寬正漆年渡唐之時還
大明國

號相同」，故捺以朱印，及墨書號碼，或相反的捺墨印，號碼則以朱筆書寫，但無論如何，似爲兼採朱、墨兩色。因日字號底簿一扇與本字號勘合百道要交與日本，本字號底簿兩扇與日字號底簿一扇及勘合百道由明保管，而兩種勘合又均須製作兩扇底簿，這纔留下兩個印跡吧！

……「勘合」乃今日的騎縫章，它起源於捺於公文之原、案之重疊處，此與今日公文書之使用「契」印之意義相同。

及其所引韓國之《經國大典》〈禮典〉所見「勘合式」所言：

凡干錢、糧、發兵、檢屍、大辟等移文、摺，附原簿面交際處，書塡經印，分爲半行，以憑後考。

以說明書寫字號的方式後規定：「某年月日，書塡某字第幾號勘合」之製作勘合的方式，（註八）故乃自我否定前說而在《歷史と地理》三六一號（一九八五）所刊登〈勘合の稱呼と形態〉一文中提出其新見解。（註一〇）

田中所提新見解是：

(1)準備紙張A，其大小長約八十二公分，寬約三十六公分，並以《戊子入明記》所見「勘合料紙印形」爲藍本。此紙爲製作勘合之所需。

(2)在紙張A的中央偏左處，置另一紙張B，以爲製作第一份底簿之需。雖無法確知B的尺寸之大小，然如據《蔭涼軒日錄》長享元年（明憲宗成化二十三年，一四八七）十月三十日條的記事內容推之，則其底簿之尺寸可能較勘合爲大。該《日錄》又云：「有勘合之大冊與九十九枚勘合」。此「大冊」應爲底簿，故底簿的紙張應較大。

(3)在紙張A與B相疊的中心捺「本字　號」印。印面應爲單廓陽文。

(4)在印有「本字　號」的A、B兩紙之「字」與「號」兩字間塡寫「壹」字。如據《戊子入明記》所錄禮部〈咨〉所謂：「比對朱墨字號相同，方可聽信」則朱印裏的編號，應該是以黑墨書寫。

(5)將紙張A與B分開。紙張A的左側留下「本字壹號」的左半部印影，紙張B則留有「本字壹號」的右半部印影。

(6)在紙張A的中央偏右處置紙張C。

(7)以(3)的方式，在紙張A與紙張C相接的中心線上捺「本字　號」印。

(8)在「本字　號」上塡寫「壹」字。方法與(4)同。

(9)將紙張A與紙張C分開。在紙張A的左、右皆留下「本字壹號」的左半部印影，紙張B與紙張C則各留下「本字壹號」的右半部印影。

(10)依上述方式製作「本字貳號」、「本字參號」以至「本字百號」，完成勘合百張，與底簿B百張，底簿C百張。底簿又稱「大冊」或「二扇」，應該是以某種方式把它們連綴在一起。無論B或C，俱屬沒有根據之臆測。底簿B的型式是大冊，底簿C的型式則爲扇。（註一二）

圖二、田中健夫所推測製作勘合的方式

(1) A

(2) A B

(3) A B 本字號

(4) A B 本字壹號

(5) A B

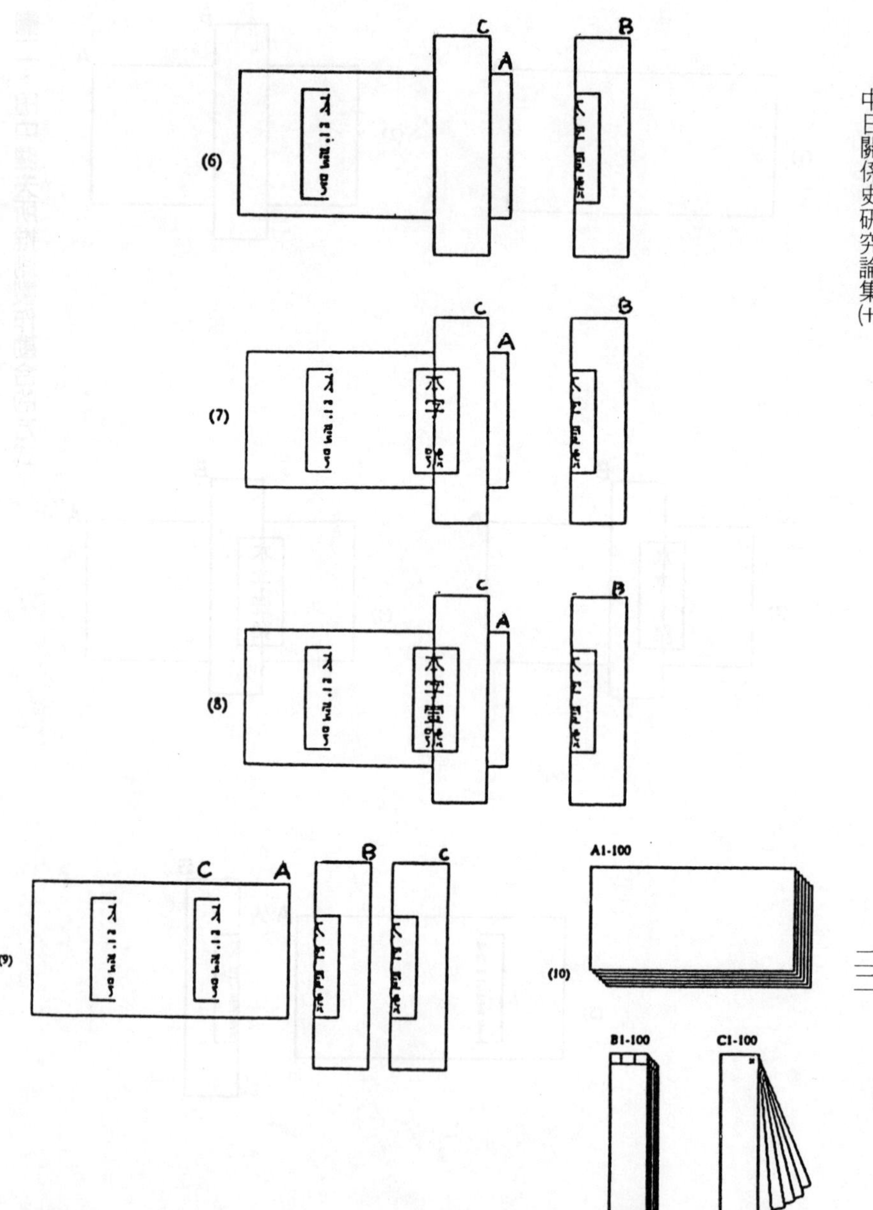
(6)
A
B
C
(7)
A
B
C
(8)
A
B
C
(9)
A
B
C
(10)
A1-100
B1-100
C1-100

田中教授根據《戊子入明記》所錄「勘合料紙印形」，對明廷頒與諸外國的勘合之尺寸與其製法的意見雖如此，但其所言有關勘合紙張的長、寬問題，與柏原昌三教授有異。如據田中的說法，則明廷頒與外國的勘合之寬度大於長度；柏原則據「赴華時所希望進貢之各種貨色（渡唐方進貢物諸色注文）」裏所錄「勘合箱」之尺寸為長二尺八寸五分，寬一尺三寸五分，故認為是長度大於寬度。

2.林呈蓉的見解

就勘合之型式言之，林呈蓉同意筆者前此所提勘合分為左、右、中三部分的說法，亦即左、右兩側部分為存放於中國或日本的底簿，中央部分為勘合。她對上舉田中的說法則提出如下兩點意見：

第一、田中根據「渡唐方進貢物諸色注文」所記「勘合箱」的尺寸，及《戊子入明記》所錄勘合之書影，認為勘合為長一尺二寸，寬二尺七寸，係寬度大於長度之長方形。惟該「渡唐方進貢物諸色注文」所記「勘合箱」之尺寸為長度大於寬度，因此，存放於箱裏的勘合，亦以長度大於寬度的方式來思考較為自然，柏原的意見亦復如此，但田中卻修正（筆者案：應即不同意）此一見解。

第二、勘合的「本字　號」乃以單廓陽刻所捺。然而，根據《戊子入明記》裏「勘合料紙印形」圖版，逆コ字形被視為是廓（框）的部分，其中所存在之空間，較一般印章來得寬，而「本字壹號」的印文與廓的比例位置相較，又過於偏高。個人則以為此圖中逆コ字形的線，並非是印的廓，而是料紙邊的可能性較高。（註一二）

圖三　筆者前此所提之勘合型式

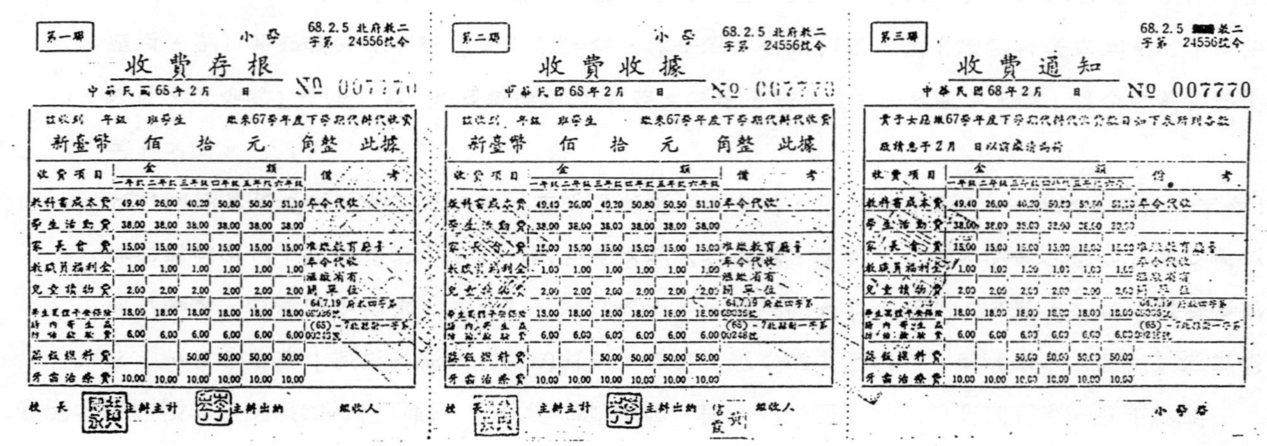

第一聯　小學　68.2.5 北府教二字第 24556號令

收費存根　No 007770

中華民國68年2月　日

茲收到　年級　班學生　繳來67學年度下學期代辦代收費　新臺幣　佰　拾　元　角整　此據

收費項目	一年級	二年級	三年級	四年級	五年級	六年級	備考
教科書成本費	49.40	26.00	40.20	50.80	50.50	51.10	奉令代收
學生活動費	38.00	38.00	38.00	38.00	38.00	38.00	
家長會費	15.00	15.00	15.00	15.00	15.00	15.00	准縣教育局函
教職員福利金	1.00	1.00	1.00	1.00	1.00	1.00	奉令代收 遵照省有關單位
兒童讀物費	2.00	2.00	2.00	2.00	2.00	2.00	
學生團體平安保險	18.00	18.00	18.00	18.00	18.00	18.00	64.7.19 府教四字第[illegible]號
[illegible]	6.00	6.00	6.00	6.00	6.00	6.00	(65)－7[illegible]第一字第[illegible]號
簿籍紙料費			50.00	50.00	50.00	50.00	
牙齒治療費	10.00	10.00	10.00	10.00	10.00	10.00	

校長　主辦主計　主辦出納　經收人

第二聯　小學　68.2.5 北府教二字第 24556號令

收費收據　No 007770

中華民國68年2月　日

茲收到　年級　班學生　繳來67學年度下學期代辦代收費　新臺幣　佰　拾　元　角整　此據

收費項目	一年級	二年級	三年級	四年級	五年級	六年級	備考
教科書成本費	49.40	26.00	40.20	50.80	50.50	51.10	奉令代收
學生活動費	38.00	38.00	38.00	38.00	38.00	38.00	
家長會費	15.00	15.00	15.00	15.00	15.00	15.00	准縣教育局函
教職員福利金	1.00	1.00	1.00	1.00	1.00	1.00	奉令代收 遵照省有關單位
兒童讀物費	2.00	2.00	2.00	2.00	2.00	2.00	
學生團體平安保險	18.00	18.00	18.00	18.00	18.00	18.00	64.7.19 府教四字第[illegible]號
[illegible]	6.00	6.00	6.00	6.00	6.00	6.00	(65)－7[illegible]第一字第[illegible]號
簿籍紙料費			50.00	50.00	50.00	50.00	
牙齒治療費	10.00	10.00	10.00	10.00	10.00	10.00	

校長　主辦主計　主辦出納　經收人

第三聯　68.2.5 [illegible]教二字第 24556號令

收費通知　No 007770

中華民國68年2月　日

[illegible]67學年度下學期代辦代收費[illegible]

[illegible]2月　日[illegible]

收費項目	一年級	二年級	三年級	四年級	五年級	六年級	備考
教科書成本費	49.40	26.00	40.20	50.80	50.50	51.10	奉令代收
學生活動費	38.00	38.00	38.00	38.00	38.00	38.00	
家長會費	15.00	15.00	15.00	15.00	15.00	15.00	[illegible]
教職員福利金	1.00	1.00	[illegible]	[illegible]	[illegible]	[illegible]	[illegible]
兒童讀物費	2.00	2.00	[illegible]	[illegible]	[illegible]	[illegible]	[illegible]
學生團體平安保險	18.00	18.00	[illegible]	[illegible]	18.00	18.00	[illegible]
[illegible]	6.00	6.00	[illegible]	[illegible]	[illegible]	[illegible]	[illegible]
簿籍紙料費			[illegible]	[illegible]	[illegible]	50.00	
牙齒治療費	10.00	10.00	[illegible]	[illegible]	[illegible]	[illegible]	

小學啓

說明：　前此日本學者根據「戊子入明記」所載勘合上之印形，認爲明廷只在勘合之一邊蓋騎縫章。竊以爲明廷既造兩扇底簿，日本貢使來華時，又須分別在浙江布政司及禮部，與存放在各該處的底簿比對，則其字號與騎縫章自非蓋在兩處，亦卽非捺於勘合之兩側不可，否則，便無法作此種方式的驗證工作了。

上圖乃某小學給與學生的繳費三聯單，以此爲例，則「收費收據」，亦卽中央部分相當於勘合，「收費通知」與「收費存根」相當於底簿，而能分別在兩處作比對，如將其編號改寫在中間聯兩旁的虛線上，便完全符合明代勘合的格式了。至「戊子入明記」所以繪兩個半印形，應該是據此而來。

林呈蓉對於勘合的長、寬之尺寸問題，同意柏原昌三的意見，並且列舉明代的土地契約、賣身契約多縱長橫短，及介紹清代民俗的書物（書籍）《清俗紀聞》，二，頁九三～一〇二所採錄「縣照」、「部照」、「船照」、「憲照」等證照俱屬縱長形，（註一三）故認為勘合的尺寸亦應為長度大於寬度。（註一四）

對勘合的製作問題，林氏認為筆者前此所言有如三聯式收費單，將圖章分別捺於左右兩騎縫，致受田中質疑：「中間聯，亦即在勘合的左側留有圖章的右半印文，右側則留有圖章之左半印文，與《戊子入明記》所錄『勘合料紙印形』之左右兩個半印俱為左半部印文有異」，此為致命弱點。故她提出其意見曰：

一紙勘合必須經過兩次比對，因此鄭氏考慮到可以利用料紙的左、右兩側做比對。然而，不僅是料紙的左右兩側，即使是表、反兩面亦可利用。個人在大張橫長形料紙表面的左側、以及其反面的左側各捺下無廓陽刻之印，以印的位置將料紙三分，可以製成勘合與底簿兩側（參考圖四）。即《戊子入明記》裡「勘合料紙印形」的圖形，乃一紙勘合的表面與反面的兩個半影。此與「勘合乃縱長形，半印則為無廓」之想法便能互相吻合。「勘合料紙印形」的圖將版面橫向繪製，此乃《戊子入明記》之作者極其意識到比對用的右側底簿。其作者可能認為應該留出右側底簿的空間繪製比較寫實，而比對的手續在勘合的表面、反面各執行一次，合共兩次，如果將兩次預留著底簿空間的勘合並列繪製，將紙縱向使用的話，版面顯然過於擁擠，因而將用

紙橫向使用。(註一五)

林氏在這段文字之後，緊接著列舉前文所提明、清時期的各種證照之形狀以爲例，作爲其觀點之佐證。林氏所言「表面」，當是指「正面」而言，亦即她認爲是在勘合與底簿的正、反兩面之左、右兩騎縫各蓋一個圖章。並且又更進一步說：

> 「本字號」的印影有一個被捺蓋於勘合的反面，這並非是突發的奇想。這個想法是出自於「披文勘合」的定義。根據先前研究之論述，「批文b」被解釋爲「裏書(寫於背面的文字)」。換言之，勘合除了正面之外，反面也被加以利用。如此，用以照合比對的半部印影有一個被捺印於勘合紙之背面，也並

圖四 林呈蓉所擬勘合型式與其製作方式

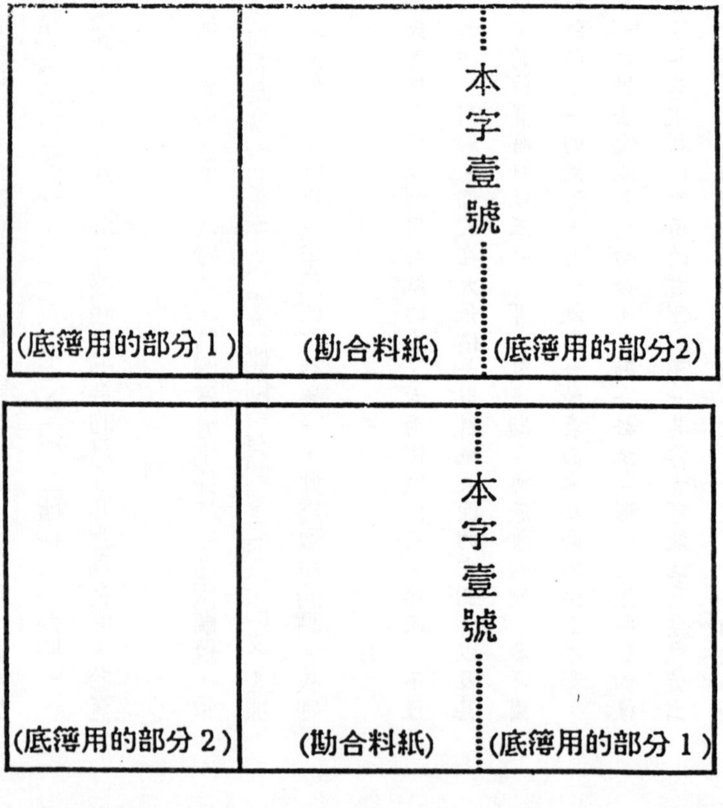

本字壹號

(底簿用的部分2) (勘合料紙) (底簿用的部分1)

本字壹號

(底簿用的部分1) (勘合料紙) (底簿用的部分2)

非不自然。(註一六)

此外，她又認爲「本字　號」之印，亦即捺於勘合上的圖章之四周無框，並以黏貼於清代「縣照」上方之稱爲「聯單」的「小付簽」圖影(圖五)爲例，謂其右半端半印及其「防字　號」印文裏的數字，可明顯判斷出係以毛筆另行塡入，故其整個型式與勘合雷同，故可作爲「本字　號」印爲無邊框圖章之考證(考證，疑爲佐證之誤)。(註一七)曰：

> 勘合的「本字　號」乃以木廓陽刻所捺。然而，根據《戊子入明記》裡「勘合料紙印形」圖版，逆コ字形被視爲是廓(框)的部分，其中所存在之空間，較一般印章來得寬，而「本字壹號」的印文與廓的比例

圖五　林呈蓉所引清代的「縣照」與其說明

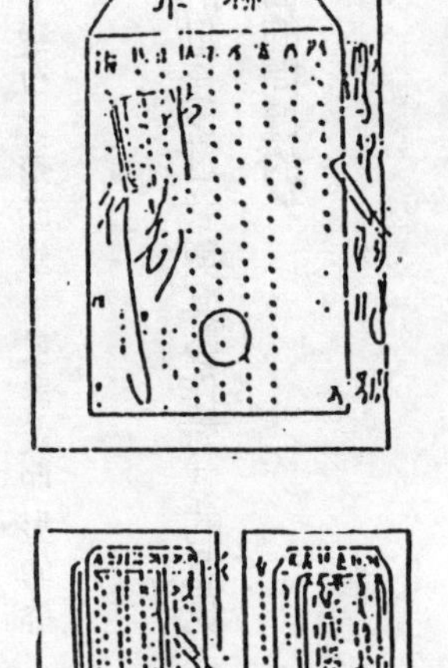

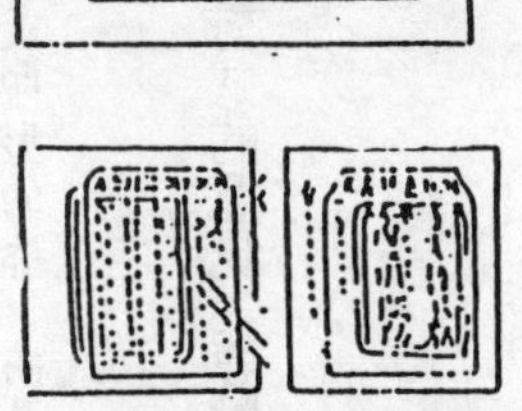

右圖爲縣照，上端中央有半印。中央部位的圈以及「護」字，字乃朱書，俗稱護證。左下方的「廿」、「行」、「滿」字亦爲朱書。左圖下方兩張小紙與上端的聯單，原浮貼於右圖的縣照上。（引自《清俗紀聞２》，頁九三～九四）

位置相較，又過於偏高。個人則以為此圖中逆コ字形的線，並非是印形的廓，而是料紙邊的可能性較高。

田中健夫、林呈蓉兩人對明代頒賜給諸外國的勘合之型式與其製作方式的意見之要點已如上述，下文則擬以清初的勘合為例，論述筆者對此一方面的問題的看法。

四、筆者的意見

筆者雖在十餘年前於《明代中日關係研究》（《明・日關係史の研究》）一書裏探討明廷賜與諸外國的勘合問題，認為其型式有如學校的收費三聯單。當時所以作如是想，乃由於缺乏物證之故。此一說法與《戊子入明記》所錄「勘合料紙印形」之圖影不符，受到田中健夫教授的質疑，林呈蓉教授亦以此為「致命之弱點」。惟近日因獲清初製作之勘合，故已改變先前的看法，故擬在本節論述新見解。

在據清初勘合以探討明代對外勘合之前，擬先對田中健夫、林呈蓉兩人的見解提出個人的意見：首先就勘合之形狀而言，如前舉宣德九年的禮部〈咨〉所記：「須於本國開填勘合內開寫進貢方物件數，本國并差來人附搭物件，及客商物貨，乘坐海船幾隻，船上人口數目，逐一於勘合內開寫明白」似的，必須將所有的朝貢人員的名字，與貢品、附搭物件、使臣自進物的名稱與其數量都填上去，所以如從實用方面來考量，則田中的說法比較接近事實，如此也較符合《戊子入明記》所錄之勘合圖形。柏原昌三與林呈蓉所考慮者，似在前舉「渡唐方進貢物諸色注文」所記勘合箱的尺寸。除非箱子（木盒）上有文字，否則因其放置方向之不同而長度亦可成爲寬度，故柏原、林兩氏的見解未必具有說服力。又，林氏雖言明、清時期的地契、賣身契及各種證照，都是長度大於寬度，但筆者認爲所舉之物證並非勘合，故無法作爲確實的證明，今據筆者所得清順治十年的勘合影本（容於後文討論），卻是寬度大於長度，則林氏所舉此一方面的例子，亦與事實未盡相符。此外，林氏在其論文裏所言裝置勘合的木盒之大小，係將「寸法」與「尺寸」兩詞混合使用而以前者爲多。「寸法」、「箱」、「料紙」，乃承襲日本人的說法，依中文行文習慣，則似乎應把它們說成「尺寸」（或「長

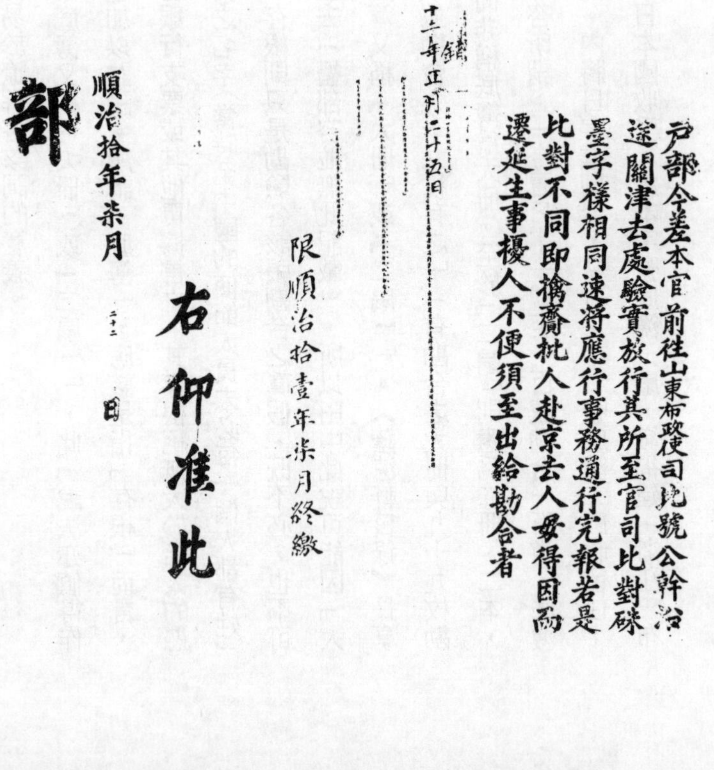

圖六　清順治十年的戶部勘合

戶部今差本官前往山東布政使司比號公幹沿途關津去處驗實放行其所至官司比對硃墨字樣相同速將應行事務通行完報若是比對不同即擒齎執人赴京去人毋得因而遷延生事擾人不便須至出給勘合者

十一年正月二十五日

限順治拾壹年柒月終繳

右仰准此

順治拾年柒月　二十二　日

部

度」）爲宜。至於「箱子」、「料紙」，亦應將其改稱「盒子」（或木盒）、「紙張」；「書物」則應改稱「書籍」或「圖書」，如此，方能使讀者更易於瞭解各該詞的意義。

至於田中所謂：「底簿用紙大於勘合」、「底簿又稱『大冊』或『二扇』」，此一說法亦值得作進一步探討。首先就「底簿用紙大於勘合」問題加以討論。所謂「底簿」，應該是指「存根」而言，亦即給人憑據時，自己留存以備查用者，就今日銀行支票或其他單據言之，其存根絕無大於給人的憑據部分，更何況勘合上必需塡寫一船的所有人員之名字（當時至中國的使節人員未必每一個人都有姓）與各種貨物的名稱與其數量，故需較大的紙張，存根則只是勘驗各該張勘合之眞假，既不必，也不可能將全船人的名字與所有貨物名稱、數量都寫上去（禮部咨並無此記載），所以田中此說可能因「大冊」之「大」字，致有此誤解。田中又說：「底簿又稱『大冊』或『二扇』」。《蔭涼軒日錄》長享元年十月三十日條雖記載：「勘合之大冊有之，並勘合九十九枚有之」（有勘合之大冊與九十九枚勘合），但此「大冊」應該是說一大冊、一大本，而非稱底簿爲大冊。至於「二扇」則應爲二冊、二本，係指底簿的冊數而非底簿的名稱，否則前舉禮部咨所謂：「今置日字一號至一百號勘合一百道，底簿二扇；本字一號至一百號勘合一百道，底簿二扇。內將日字號勘合，并日、本二號底簿二扇收留住；及將本字號勘合，并日字號底簿一扇，差人齎赴日本國收受；將本字號底簿一扇，發福建（浙江）布政司收貯」的每個「扇」字將如何解釋？

林呈蓉雖根據「渡唐方進貢物諸色注文」所錄「勘合箱」之尺寸爲盒蓋長二尺八寸五分，寬一尺三寸五分，認爲木盒的長度應大於寬度而其見解與柏原昌三相同，而以田中健夫之以寬度大於長度爲非，卻又言《戊子入明記》的作者可能意識到比對用的右側底簿，應留出右側底簿的空間繪製比較寫實，且如將兩次預留底簿空間的勘合並列繪製將紙張縱向使用的話，版面顯然過於擁擠，因而將紙張橫向使用。林氏既言《戊子入明記》的作者可能意識到：如將勘合紙張縱向使用顯然過於擁擠，因而將紙張橫向使用，那麼，明廷在製作勘合時，是否可說也顧及此事而橫向使用？更何況可將勘合箱轉個方向，使縱（長）變爲橫（寬），橫變成縱。所以林氏據勘合盒以批判田中的理由，難免有牽強之處。又，考之清初的勘合，則林氏所言「本字號」爲無框圖章的說法，未必正確。至於將「本字號」之圖章捺於正反兩面的意見雖值得參考，但事實上未必如此作，此事容於後文說明。

筆者得自中國第一檔案館的勘合爲戶部所發出，係作爲官員通關用者，發行時間在順治十年（一六五三）七月二十二日。順治十年據距明之滅亡（一六四四）約九年。清人入關，一切尚在草創之際，且天下尚未定，沿襲舊制爲多，故推測其所發勘合之型式應不致與明代相差太遠。該勘合云：

戶部今差本官前往山東布政司比號公幹，沿途關津去處驗實放行。其所至官司，比對硃墨字樣相同，速將應行事務通行完報，若是比對不同，即擒齎批人赴京，去人毋得因遷延生事，擾人不便，須至出給勘合者。

在上舉文字之後約隔一行的距離的上端有以細字書寫文號之左半邊文字，文字上面則捺以滿文書寫之左半邊文字。此滿文書成兩行，右邊一行寫著「訓寶」兩字，左邊一行雖亦寫著兩字，但只能判讀其上字爲「旨」，下面的字則看不清楚。在上舉半印的正下方又有一個左半印，印文亦爲滿文，此滿文印章當係清人入關後始建立之體制，明代印章當係全屬漢文。其右側可清楚看出以黑墨書寫之「山字八號」四個字的左半邊字影，半印的正中間亦以黑墨寫著「計給山字捌號批文壹道」，且在給字以下各字上蓋著滿文圖章。此半印的滿文亦兩行，右側一行僅能判讀一個「印」字，左側一行則無法辨識。

在上舉兩個半印之後，亦以極其細小的文字寫著：

一、爲差委司屬官員事：該本部題貴州清吏司案呈：查得福清鈔關劉芳聲壹年差滿，相應更替。今遴得福建司主事龔爲英，堪委臨清鈔關事務，業經本部題前順治拾年陸月貳拾陸日題，本月貳拾柒日奉聖旨：「休議，欽此」。欽遵爲此，今差本官前去管理臨清鈔關事務，首收錢糧，禁革奸弊，照依本部題奉明旨內事理，遵奉施行。（分成四行書寫，參看書影）

一、差福建司主事龔爲英管理臨清鈔關事務。

在上舉極細字後，約隔三行半處的上方有一個右半印，半印左側則有以黑墨書寫的「山字捌號」的右半字影。其下則以大字書寫「右仰准此」四字，其左上方則書寫發行勘合的日期——順治十年柒月二十二日。年月日的「拾年」兩字上捺戶部關防，其左則是一個大「部」字。除上述者外，該勘合上另以朱筆書寫著應繳回的期限與註銷的日期，可見對勘合的管理相當嚴密。

由此一勘合可知，其製作型式與前舉明代勘合大致相同，其正面的左、右兩處各有半個印影。右側的印影雖有上下兩個，但此係清代的制度，此事與本文主旨無關，姑且不談。至於勘合上所寫文字的內容問題，亦復如此，故一併省略。此勘合左、右兩側所留下的印影，在右側者爲左半部，左側者則爲右半部，這與《戊子入明記》所錄明代勘合印影之左、右同形雖有出入，但這只是製作上的半印之取捨問題，與製法無關。所以製作者如欲使左右兩個半印同一個方向，也不會發生任何困難。

由此清代勘合可知，係首先將作爲存根之紙張放在勘合的正面上的左、右兩側之各該適當處，將圖章捺於勘合與存根接合處的中央，使勘合與存根各有半個印影，然後將號碼寫在印影中央，使此號碼也在勘合與存根左、右各留一半。以這種方式製作的勘合，交與必需經過關津的官員，存根則事先交與各該關津保管，使之與來人所持之勘合比對、放行。如果其所要經過的關津多，亦可以同一方式來製作。故筆者對於勘合的製作方式，支持田中教授的見解。至於圖章四周之框子問題，林氏雖認爲它是存根部分的紙張之邊緣，但此種說法，如果其所指者僅是左、右兩個半印自上至下的直線，尚有可能，然其上、下兩條橫線也要把它們說成存根紙張的邊緣，那就牽強了，因爲除非存根部分的紙張之大小與印章相仿，否則怎能說它們是紙邊呢？所以有關印章之有無方框的問題，只要觀看清初勘合的書影便可一目了然而無須贅言。

五、結　語

明朝政府曾爲防倭寇之入侵而於洪武四年實施海禁，並加強東南沿海地區的海防設施，從而片板不許下海。明廷除採嚴厲的海防措施外，爲控制對外貿易，更從十六年開始，逐漸將勘合賜與海外諸國，以控制他們來往於中國。

前此學者對於明廷賜與外國的勘合之型式與其製作方式雖曾有過一番探討，只因大家都只見過《戊子入明記》所錄捺於勘合之印影，其他相關資料則付之闕如，所以各家之說大都是臆測之辭，難獲正確答案。近因筆者獲得戶部於順治拾年七月下旬製作的勘合，此勘合雖屬國內使用者，但其型式則與明代賜與外國者相仿，故可從而得知明代對外勘合型式與其製作方式之梗概。

有關明代發給外國的勘合之大小問題，雖然諸家之說法未必相同，但無論何種說法正確，總比在此所引清初用於國內者，或目前證件大出許多，此就如前文所引禮部〈咨〉所示，必需在其背面書寫進貢方物件數，及正使以下各幹部的附搭物件，客商的貨物、船數、乘員等，方纔按其實際需要設計的。寫在勘合背面的，叫做「批文」，因係給日本國國書以外文件，所以又稱爲「別幅」。別幅乃勘合制度的要素之一，它與寫在正面的字號，同時接受北京禮部的檢查，故又稱「批文勘合」。就如前舉《戊子入明記》的記載，及清順治十年的戶部勘合所見，蓋在勘合上的圖章只有一半，另一半在底簿。亦即在勘合與底簿之間蓋騎縫章，只要把截下的兩者再予拼湊，便會出現圖章完整的原形，使人一看便知其眞僞。至於書寫在勘合圖章上的字號，根據明朝規定，外國至中國朝貢時，每船都需持一枚勘合，並且由一號開始依次使用。因此，明廷既可因此瞭解該國的來貢船數、人數與貨物數量，也可從而瞭解該國在某一皇帝的治世裏的朝貢情形。這種作法，在控制對外貿易方面可謂相當嚴密，相當周全的一種制度。

【註釋】

註　一：《唐律疏義》〈擅興〉。

註　二：中日兩國的部分學者，如張維華（《明代海外貿易簡論》）、陳文石（《明洪武嘉靖間的海禁政策》）、田中健夫（《中世對外關係史》）等三位前賢，均認為明之所以實施朝貢貿易的目的，在於維持政府獨佔的貿易形態。然就如《明實錄》的記載所示，明朝自宣德以後，往往因諸國入貢所費不貲，而不時有人倡議縮減這方面的經費，所以這種貿易似難言為政府獨佔的。

註　三：《明太祖實錄》（臺北，中央研究院歷史語言研究所影印本），卷一五三，洪武十六年四月甲戌朔乙未條。

註　四：《大明會典》（明萬曆十五年司禮監刊本），卷一〇八，〈禮部〉。

註　五：《明史》（臺北，鼎文書局，點校本），卷二〇五，〈朱紈傳〉。

註　六：瑞溪周鳳，《善鄰國寶記》（續群書類從本，卷八九）〈文明三年（一四七一）龍集庚寅臘月二十二日，臥雲八十翁瑞溪周鳳書於善鄰國寶記後〉。

註　七：田中建夫，《倭寇と勘合貿易》（東京，至文堂，昭和四十一年十一月），頁六三。

註　八：中村榮孝，《日鮮關係史の研究》，上（東京，吉川弘文館，昭和四十五年五月，再版），頁一八六，註九之釋文。

註　九：田中健夫，《對外關係と文化交流》（京都，思文閣，昭和五十七年十一月），頁八五～八六。

註一〇：田中健夫，〈勘合の稱呼と形態〉，收錄於《歷史と地理》，三六一號（一九八五），頁二九～三〇。

註一一：同前註。

註一二：林呈蓉，〈明代勘合之形狀與製法〉，收錄於《華岡文科學報》，第二十一期民國八十六年三月），頁二六五。

註一三：同前註。

註一四：中川忠英，《清俗紀聞》（孫伯醇、村松一彌編，東京，平凡社，一九七四。東洋文庫，七〇）。

註一五：林呈蓉，前舉論文，頁二六九。

註一六：同前註所舉論文，頁二七〇。

註一七：同前註。

壬辰倭亂期間的和談始末

一、前言

衆所周知，日本豐臣秀吉曾於明萬曆二十年（宣祖二十五年，文祿元年，一五九二）四月，遣其部將加藤清正、小西行長、宗義智及僧景轍玄蘇、竹溪宗逸等，帥舟師數百艘，由肥前名護屋（佐賀縣）渡海，兵分八路，入侵朝鮮。此一侵略事件，即所謂壬辰倭亂，日人稱爲文祿之役。侵略部隊在朝鮮登陸後，以破竹之勢攻城略地。五月二日，侵略部隊渡漢江，王京竟輕易落入敵人之手。

當侵略軍入寇之初，除急遣巡邊使、都巡察使等帥兵謀阻日軍之進擊，及鞏固要衝，充實京城防備，徵兵救援國都外，爲安定民心，乃冊立光海君爲世子，並且爲因應日軍來襲，宣祖乃離開首都前往平壤，並分遣臨海君、順和君至江原道、咸鏡道募兵。然二王子之募兵工作，卻因他們爲加藤清正所俘而終成泡影。六月十一日，宣祖由平壤出發，十三日抵寧邊。同日，與其大臣舉行會議，決定由世子設立分朝。兩日後，平壤陷於敵手。十四日，宣祖離開寧邊，於二十二日抵義州。宣祖當時原決心由其本人入遼東內附請援，然因有大臣言尙有未被佔領之地，時機猶早，故乃聽從其建議，暫留義州。

當事態緊急之際，李恒福首倡請援於明，其意見被採納，於援例遣聖節使之際，以柳夢龍為使，特告以宣祖入遼東內附事，請明軍援救。六月十一日，宣祖又急遣李德馨赴明請援。同月十七日，李德馨自定州至遼東請援，一日之間，上書遼東巡撫郝杰六次，且至其帳下慟哭，終日不離，杰頗為感動，於是雖不及上奏，而便中先遣遼東兵五千，由遼東副總兵祖承訓率領往援，卻因事前未將諜報工作做好，致告失敗。

對於遣軍援朝問題，明廷雖有過一番爭執，但終於應允其乞求，以宋應昌為經略，李如松為提督薊遼保定山東等處軍務防海禦倭總兵官，率領大軍援朝。宋應昌、李如松受命後，將兵員集結遼東，於萬曆二十年十二月末渡鴨綠江，翌年正月上旬逼近平壤。同月八日，開始總攻。九日，小西行長敗走。李如松雖於平壤大捷，竟於二十七日的碧蹄館之役裏，輕敵貪功，不帶南兵而僅率家丁千餘騎，遂為倭所乘。

祖承訓馳援之敗，震驚國內，神宗因此採取一系列的國防對應措施，並曾懸賞有能恢復朝鮮者，給賞銀萬兩，世襲伯爵。結果把神機三營遊擊將軍銜授與出身浙江的沈惟敬，使其前往平壤議和。此一議和過程曲折且富戲劇性，所以本文將以其議和始末作為探討之重點。

二、日軍之侵略與明軍之馳援

㈠、日軍之侵略

如據《太閤記》的記載，豐臣秀吉曾於明萬曆十九年（宣祖二十四年，天正十九年，一五九一）正月，為侵略朝鮮而對日本各地下令建造軍艦及動員兵力，並於翌年三月，將其侵略部隊作適當的編制。與之同時，又以德川家康、前田利家、毛利輝元、上杉景正、浮田秀家為五大老，將結城秀康、伊達政宗、蒲生氏鄉、佐竹義宣、最上義光、織田信雄等人留在肥前名護屋，以為大本營。其所動員之人數則達三十萬。此數與《天正記》所紀人數大致相同。又如據《富國文書》的記載，其陸軍總數十五萬八千七百人。至秀吉本人則留在名護屋擔任總指揮的工作。

萬曆二十年四月十三日，豐臣秀吉以上述兵員，並根據其事前之布署，兵分八路開始侵略朝鮮。《明史》〈日本傳〉云：

> 二十年四月，（豐臣秀吉）遣其將（加藤）清正、（小西）行長、（宗）義智、僧（景轍）元（玄）蘇、（竹溪）宗逸等，將舟師數百艘，由對馬島渡海。

如據《朝鮮宣祖實錄》的記載，侵略部隊從第一軍開始，依次登陸釜山浦與其周圍，翌日拂曉，圍釜山城而予以攻陷。僉使鄭撥中鳥銃陣亡。十五日，侵略軍繼攻東萊城，朝鮮軍雖英勇抵抗，但府使宋象賢戰死，城被陷。左水道使元均聞日本入寇消息後，脫逃巨濟島右水營，走昆陽海上，致朝鮮水軍防禦崩潰，予侵略軍深入之良機。十七日，梁山城淪陷。十八日，密陽城易主。二十一日，大邱落入敵人手中。侵略者之第二軍於同月十八日，自釜山入寇。十九日，彥陽城失守。二十一日，慶州城被奪。其第六軍小早川隆景，第七軍毛利輝元所率侵略部隊，則以破竹之勢蹂躪朝鮮南部各地，逼近王京。

檢討朝鮮軍之所以如此脆弱的原因，乃由於以通信使名義出使日本的黃允吉、金誠一等人雖獲秀吉即將入寇之消息，但朝鮮當局竟未採因應措施；(註一)並且綱紀廢弛而清州城未設防，及當時因政爭而國防疏忽所致。金時讓謂：

時昇平二百年，民不識兵，望風瓦解，無敢嬰其鋒。(註二)

長久過慣太平生活的朝鮮人不知兵，固爲其理由之一，但侵略部隊之使用新式武器——鳥銃，尤爲使朝鮮軍慘敗的重要因素。

四月十七日，來自釜山的警報傳到王京，使朝鮮當局慌張不已。當時兵曹判書洪汝諄辭職，金應南繼其任。柳成龍任體察使，申砬爲三道都巡察使，於四月二十二日離開京城。時巡邊使李鎰與倭酋小西行長戰於慶尙北道之尙州；二十五日，大喫敗仗，奔逃忠州。此一消息於兩日後傳至王京。於是朝鮮當局以右議政李陽元爲守城大將，修築都城；以金命元爲都元帥，守備漢江；並命各道募兵爲用。(註三)

四月二十八日，都巡察使申砬與小西行長再戰於忠州而亡，(註四)諸軍潰走。因此，朝鮮君臣大爲氣索，不知所措，竟出令鳥嶺、竹嶺之守將後退，放棄防守據點之下策。其朝議亦分成拋棄首都，撤退至平壤，及固守京城，請求明朝派遣援軍的兩派意見。此時右承旨申磼等人的意見屬後者，但他提議建儲。（註五）因宣祖無嫡長子，乃以其第二子光海君琿聰明好學爲理由，欲以他爲世子，而獲衆議之決定。如據《寄齋史草》下，及《壬辰日錄》一，萬曆二十年四月二十九日條的記載，則宣祖的意見被接受那一天，王世子跟隨國王，世子之兄臨海君珒率金貴榮、尹卓然往咸鏡道；宣祖第六子順和君玒率黃廷彧、黃赫赴江原道募緊急之師；李陽元爲留都大將，與都元帥金命元留下防守。

四月三十日，宣祖與王世子以下奉宗社主版，於五月一日抵開城。然就在這一兩日間，因臺諫之議而更換兩次官吏。結果，以崔興源爲領將，尹斗壽、俞泓爲左右相，此乃王京失守後所採的措施。五月二日，侵略部隊渡漢江。宣祖聞首都陷於賊，即離開城。八日，抵平壤。自侵略部隊登陸後僅十九日，王京竟輕易落入敵人之手。

侵略部隊入侵王京後，「焚燒宗廟、宮闕、公私家社，刮索帑藏，日輸其國。」（註六）且強迫朝鮮人勞役，如有抵抗，即予殘殺。李肯翊《燃藜室記述》云：

時京城之人皆奔避，未久，稍稍還入。坊里市肆依舊，與賊相雜販賣。賊守城門，令我帶賊帖者，不禁出入。於是民盡受賊貼，服役於賊，毋敢違拒。亦有媚賊相暱，嚮導作惡者。如有謀議殺賊者，輒爲其民所告，燒殺於鐘樓前，及崇禮門外，極其酷慘以示威，髑髏積其下。

此言有少數奸民爲虎作倀，及侵略者肆虐的情狀而歷歷如繪。然日軍的殘暴實不止於此，甚且掘宣、靖二陵，相互爭奪財寶。（註七）

前文已說，侵略軍入寇之初，自慶尙道頻傳敗北消息時，朝鮮當局乃於四月下旬急遣巡邊使李鎰，都巡察使申砬諸將謀阻日軍之進擊。同時鞏固要衝，充實京城防備，徵兵援救國都。並且為安定民心，乃冊立光海君為世子。（註八）為因應日軍來襲，宣祖乃離開首都前往平壤，並分遣臨海君、順和君至江原道、咸鏡道募兵，又請援於明。然二王子之募兵工作，卻因他們為加藤清正所俘（註九）而終成泡影。

首倡請援於明的是李恒福。它的意見被採納，而於援例遣聖節使之際，以柳夢龍為使，特告以宣祖入遼東內附事，請明遣軍援救。（註一〇）當臨津淪陷後，侵略軍出現大同江畔。此時朝鮮當局的意見分為撤退及固守以待明軍兩種，結果，採用退避寧邊的主張。（註一一）六月十一日，宣祖急遣李德馨赴明請援。王妃向北道出發，在咸興等候國王。國王本人則由平壤出發，（註一二）經肅州、安州，於十三日抵寧邊。（註一三）然宣祖於寧邊時，聽從李恒福的建言，不往目的地咸鏡，而轉向博川。兩日後，獲平壤淪陷的噩耗。（註一四）

六月十三日，宣祖與其大臣會議於寧邊，決定由王世子設分朝，他本人則入遼東內附請援。（註一五）明日，宣祖離開寧邊。又明日，於博川迎經通知而回的王妃。二十二日，抵義州。（註一六）宣祖原擬立刻渡遼，然因有大臣言尚有未被佔領之地，時機尚早，故乃聽從其建議，暫留義州。又獲知明朝允其入遼，及決定使其居住義州對岸的寬奠堡，於是決定不走。（註一七）

(二)、明朝之決定救援

由於朝鮮當局在初時未據實將黃允吉、金誠一等人出使日本時所獲豐臣秀吉即將入寇之消息哨報於明，而在仰明朝鼻息後派第三次使節時，方纔把眞情吐露出來，(註一八)致受明朝詰問。因此，朝鮮非詳加辯疏自己立場不可，乃遣使赴明報告此事而所製奏文甚委曲，致使明朝對日本來寇事未多加警戒，及作充分的防備。就這點而言，誤明、誤朝鮮者，實爲朝鮮本身。明朝當局之疑朝鮮將嚮導豐臣秀吉入侵事，至戰爭爆發之初也仍未全釋，所以朝鮮並非無端受到明廷懷疑的。(註一九)

日軍侵略之初，朝鮮曾告急於遼東總督。五月十九日，寬奠總兵召見義州牧使黃璡，諭以援救事。但璡竟言：「弊邑兵力，足以當賊，豈勞大人之救乎」？而予以回絕。然當戰局日益緊張，國王出奔，京城被陷，各地官兵屢戰屢敗，面臨危急存亡之秋時，李恒福方纔力主請援於明，其國王亦欲自入遼東。

當時明廷對朝鮮將爲嚮導日本來寇之傳聞甚囂塵上，(註二〇)而日軍又如入無人之境似的佔領各地，所以明朝對朝鮮的懷疑，一時不能冰釋，乃當然之理。更有進者，其國王又逃至義州，欲入遼東，至其國王之眞假亦被懷疑，(註二一)所以一時難於決定是否援救。然而侵略軍之逐漸接近遼東，乃不爭之事實，而朝鮮王又正欲入境。明朝對此兩件大事，自非謀其對策不可。對第一個問題，薊遼總督蹇達條奏如下備倭五策云：

一、儲糧餉以便征發。一、分重臣以便調度。一、抽南兵以便應援。一、留班軍以便戍守。一、預戰艦以便堵截。(註二二)

對第二個問題，《明神宗實錄》，卷二五〇，萬曆二十年七月戊午朔癸酉條云：

遼東巡撫郝杰題：「倭犯朝鮮，郡城半陷，國王窮迫來歸，乞勅該部暫擇城堡安置」。兵部言：「朝鮮儻陷，螫必中遼，則固我藩籬，壯彼聲勢，亦勢不可已者。沿江一帶，宜盛陳兵馬防守，以震威聲。國王來投江上，擇居完固城堡，司道躬為存慰，一應供膳從厚。隨行人馬，給以芻糧，用示撫卹，無容狡倭混入。探聽前所發兵，不足再加一枝，為犄角之勢可也」。奉旨：「朝鮮請益援兵，須確議具奏。王來，擇善地居之」。

文中所言「完固城堡」，乃指寬奠堡，係因兵部尚書石星之建議而欲使朝鮮王居住者。神宗採取上舉措施後，即召開御前會議。

於是皇帝命會集文武大臣九卿科道等官雜議。議不一，竟依石星議。兵部乃先差遊擊張奇功，賫犒銀二萬兩，解赴我（朝鮮）國買芻糧。又遣參將洛尚志，領南兵三千，留屯義州江上。副總兵查大受，領步兵三千，先到鴨綠江護衛行宮。又以大紅苧絲二表裏，慰勞國王。（註二三）

由上舉文字可知，明朝當局在此一時期，仍未決定遣兵赴援。明朝之所以遲未決定派遣援兵，固由於朝鮮本身之態度所致，但遼東總兵官李如松之因當時寧夏府的前副總兵哱拜叛亂，（註二四）正率兵征討之事，亦適與此有關。即使如此，明廷終於十月六日決定派兵馳援。此乃由於兵部尚書力陳援朝之必要的結果。

(三)、祖承訓之往援

初時，明朝由戴朝弁，遊擊將軍史儒，各率一枝援軍前往朝鮮，聞平壤已陷，遂由林畔驛回到義州。此乃前此六月十七日，李德馨自定州至遼東請援，一日之間，上書遼東巡撫郝杰六次，且至其帳下慟哭，終日不離，杰頗爲感動，於是雖不及上奏，而便中先遣遼東兵五千相助的史實。（註二五）七月，遼東副總兵祖承訓銜命率兵五千往援。承訓乃遼東驍將，與北虜作戰有功。然他既未曾與日軍交鋒，又不知敵人有新武器——鳥銃，故以戰北虜方式臨敵，半夜冒雨從順安進軍平壤。然就如諸葛元聲《兩朝平攘錄》，卷四，〈日本〉所謂：

承訓從七星門入，城内路狹，且多委巷，馬足不可展。賊依險扼，亂放鳥銃，鐵丸如雨。史（儒）遊擊挺身搏戰，軍馬多死。儒乃自城下射賊，賊知其爲將領，齊力放丸，中儒而墜。戴朝弁，千總張國忠亦中丸而死。後軍陷泥淖中，不能自援者，悉爲賊所害。

該書又云：

是（七月十五日）夜，……倭衆多戴鬼頭獅面。官馬見之，驚退，陷泥淖中不得起。士皆卸甲下馬，墜崖落阱，入爛田中。倭劍逼及之，史遊擊沒于陣。承訓僅以身免。三（五）千人回者數十人而已。

而紀其悲慘情況。（註二六）姑且不談倭軍之是否「多戴鬼頭獅面」，承訓大敗則是事實。承訓之敗，並非他無能，乃因他既不諳地理，又不知賊有鳥銃所致。在此新武器下，實無從發揮其長技。所以如定要批判其敗因，則是他在事前未將諜報工作做好。

承訓軍潰，一夜馳二百里，竟捲還至安州城外，立馬呼譯官朴義儉曰：「吾今日多殺賊矣，不幸史遊擊傷死。天時地利，大雨泥濘，不能殲滅，當添兵更進耳。語汝宰相無動，浮橋亦不可撤」。言畢，馳渡江，駐軍控江亭。（註二七）

然承訓在控江亭僅二日，即返遼東，（註二八）明廷首次援軍遂告失敗。

(四)、宋應昌、李如松往援

當時，兵部尚書石星因祖承訓之敗，與平寧夏之亂無功，受科臣羅棟彈劾而欲辭職，但神宗以「寇賊倡亂，本兵焦勞匡定，務底厥功，豈可困言阻撓」？而不許。（註二八）之後不久，寧夏之亂敉平，欲使平亂部隊回還。但石星具題：

寧賊雖已就擒，倭寇復爾告急，經略未至遼東。近報：「倭逼鴨綠」。道旁之謀，恐終誤事。臣願即日就道，往決戰守，必使一倭不入，然後奏凱以還。如其不效，自甘軍法。共事武臣，必得寧遠伯李成梁，及選京營壯丁千餘隨行。（註二九）

而欲親自從事剿倭工作，卻爲神宗所不許。結果，決定派經略宋應昌馳援。十月六日，兵部奏謂：

近報：倭賊欲犯義州，拒敵勢不容緩，宜行經略及督撫，責令吳惟忠統領南兵、火器手各三千，限五日內往遼，併發到兵馬，及本鎮兵丁一萬，剋日赴義州，同朝鮮兵將協力堵剿。薊、保兩鎮，各選精兵五千；宣、大各選精兵八千，馬、步相半，擇將統領。文到五日，即往遼東，聽經略調遣。戶部速辦糧料，併秋（移）文四川巡撫，速催劉綎兵馬，星夜前來。各督撫挑選精壯，無徒虛文塞責。及諭國王固守義州，以俟天兵恢復，勿蹈甘棄社稷之罪。（註三〇）

報可。五日後，又題謂：

倭奴聲勢甚大，遼東兵馬不敷。宜行浙江撫臣，選募義烏、東陽勁兵數千聽遣；山西撫臣挑選精兵二千策應；保定鎭撫選練達舍士達萬餘備援。（註三二）

復得神宗許可。十月十六日，明廷以提督陝西討逆軍務總兵李如松，爲提督薊遼保定山東等處防海禦倭總兵官，因應日本入寇朝鮮之軍事部署，於是完成。

(五)、李如松之進軍朝鮮

萬曆二十年十二月二十五日，由寧夏凱旋的李如松之大軍，未返國都而越過鴨綠江，逕入朝鮮。《宣祖修正實錄》，卷二六，十二月條所謂：

帝遣大軍來援，提督李如松先渡江。帝既准許我奏請，以兵部侍郎宋應昌爲經略，軍門都督同知李如松爲提督軍務。副總兵楊元爲左協大將，副總兵王有翼，副總兵王維楨（禎），參將李如梅，參將李如梧，參將楊紹先，先鋒副總兵査大受，副總兵孫守廉，參將李寧，遊擊葛逢夏等，咸統於元總兵。李如柏爲中協大將，副總兵任自強，參將李芳春，遊擊高策，遊擊錢世楨（禎），遊擊戚金，遊擊周弘謨，遊擊方時輝，遊擊高昇，遊擊王洞等，咸統于如柏。副總兵張世爵爲右協大將，副總兵祖承訓，副總兵吳惟忠，副總兵王必迪，參將趙之牧，參將趙應忠，參將駱尚志，參將陳邦哲，遊擊谷燧，遊擊梁心等，咸統于世爵。參將方時春爲中軍備禦，韓宗功爲旗鼓官。兵部員外郎劉黃裳，兵部主事袁黃爲贊畫。户部主事艾維新督餉兵。合四萬三千餘人，繼出者八千人。

此即為明軍陣容。當時屯平壤之日軍為一萬三千，且以朝鮮人壯其陣容，故宋應昌欲以三倍於敵之大軍作戰。

萬曆二十一年（宣祖二十六年，文祿二年，一五九三）正月上旬，李如松之大軍進逼平壤。同月八日，開始總攻。斬獲首級一千二百八十五顆，生擒倭賊二名，并通事張大膳奪獲馬二千五百八十五匹，得獲倭器四百五十五件，救出朝鮮被擄男婦一千一十五名。（註三二）

在此役裏，李如松以軍勢的優越，與巧妙的戰略，及新武器——大砲的威力，而更冒死臨敵，故在極短時間內使侵略軍敗走。（註三三）宋應昌《經略復國要編》，卷五，萬曆二十一年正月十四日〈與參軍鄭文彬、趙如梅書〉曰：

倭奴鳥銃甚利，仰城公（李如松）并乃弟（如柏）肯以身先，一中馬腹，一中盔頂。不佞聞之，極為嘉羨，又極驚訝。蓋昆玉為國忠心，雖艱險不避。而不佞事屬同舟，誼如骨肉，私衷不得不懸懸也。

同書卷七，萬曆二十一年三月十七日〈辯楊給事論疏〉則云：

攻城時，李如松彈中馬倒；李如柏彈中盔穿，百死一生。彼兄弟者，猶能奮不顧身，鼓眾卻敵。乃謂傳者徒以妒臣之故，掩其百世之功，忍矣？

由此觀之，李如松昆仲的身先士卒，奮勇殺賊，亦當為致勝的主要因素。對於此役，朝鮮當局稱美之曰：

不崇朝而城破，除焚溺斬殺之外，餘賊喪魄逃遁。其軍威之盛，戰勝之速，委前史所未有。臣（柳成龍）與大小陪臣，初聞捷音，不覺涕淚之交下。……本兵運籌，侍郎宋專心機務，指授方略，謀猷克合，用集殊功。總兵李誓師慷慨，義氣動人；軍行所過，秋毫無犯。臨陣督戰，身先列校。……副參、遊擊、都司以下各該將領等官，闞如虓虎，如神助勢，至有巨石滾下而拒之直上者，丸入胄膛而鏖殺未已者。小邦袖手駭縮，莫敢助力；徒觀其鐵騎所蹴，飛塵蔽野。火箭所及，赤燄彌天，砲觸列柵則決若吹毛，槍刺守陣則捷若飛鶻。腥煙漫空，流血渾江，天地爲之擺裂，山淵爲之反覆。彼賊之鳥銃湯石，政（正）猶螗臂拒轍，無敢抵敵。臣竊念平壤一城，實伊精兵器械之處，臣竭一道之力，經年莫窺，而克復之後，聞其所設守備，則決非小邦兵力所可攻陷。天威一震，列屯望風，已成破竹之勢……臣念今兇賊被剿，專在王師，而於小邦則未始有一毫創也。（註三四）

李如松雖在平壤之役大捷，卻在同月二十七日的碧蹄館之役裏，輕敵貪功，不帶南兵而僅率家丁千餘騎，遂爲倭所乘。如據《明史》〈李如松傳〉、柳成龍《懲毖錄》、《日本外史》十七等的記載，李如松敗北的原因在寡不敵衆，及中敵人之計謀，但斥堠工作未做好，也該是其敗因之一。

李如松在碧蹄館見敗後還住平壤，並有意重開前此進行之和談，並數度遣使至經略宋應昌處討論此事。

三、中日兩國間的和談折衝

明廷雖經過一波三折以後決定遣軍援朝，而以宋應昌爲經略，李如松爲提督薊遼保定山東等處軍務防海禦倭總兵官，統率大軍馳援，但當時兵部上書石星卻於焦慮之餘，懸賞公開招募恢復朝鮮之策。如據《兩朝平攘錄》卷四的記載，明廷雖懸賞有能恢復朝鮮者，給賞銀萬兩，世襲伯爵，因無人應募，沈惟敬乃於此機會上場。該書又紀：惟敬係出身浙江嘉興或平湖的市井無賴，客遊北京，與吳之俠妓吳澮如相通。澮如有僕鄭四（後改名沈嘉旺），亡命入海中，熟稔日本國情。惟敬所問於四，其所知有如親至日本。兵部尚書石星之妾父袁茂，於往澮如家遊玩之際，聞惟敬慷慨談時事，乃推薦於星。（註三五）因此，石星一見惟敬，就予採用，並予神機三營遊擊將軍頭銜，使其前往平壤。（註三六）

㈠、沈惟敬與日軍之休戰協定

惟敬得神機三營遊擊將軍頭銜後，九月已渡鴨綠江，前往日本軍營。《懲毖錄》卷一云：

時，倭變猝發，且殘毒甚，人人惴恐，莫敢有窺其營者。惟敬以黃袱裹書，使家丁一人背負，騎馬直馳，由普通門而入。倭將（小西）行長見其書，即回報求面見議事。惟敬將往，人皆危之，多勸止者。惟敬笑曰：「彼焉害我也」？從三四家丁赴之。行長、平（宗）義智、（景轍）玄蘇等，盛陳兵威，出會于城北十里外福山下。我（朝鮮）軍登大興山頭，望見倭軍甚多，劍戟如雪。惟敬下馬，入倭陣中。群倭四面圍繞，疑被拘執。日暮，惟敬還，衆倭送之甚恭。翌日，行長遣書馳問，且言：「大人在白刃中顏色不變，雖日本人無以加也」。

可見惟敬交涉的第一回合相當成功。至其交涉內容，李星齡《日月錄》云：

惟敬入營中，與行長、(柳川)調信、玄蘇、(竹溪)宗逸等相見。惟敬盛言：「天朝以百萬兵來壓境上」。且責玄蘇曰：「上天好生，爾既剃髮爲僧，何爲從逆夷，劉夷我屬國耶」？玄蘇叩頭曰：「中國有中峰(明本)祖師四代孫，曰四明禪師。嘉靖十八年，我師入朝，拜四明師，爲弟子。天子(世宗)嘉其遠來，欽賜袈裟一襲，至今猶存。鄙僧得傳衣缽，無非向順之誠，豈敢助逆爲虐乎？本國久絕於天朝，欲假道朝鮮以求封貢，反集兵拒我，致有今日，豈獨鄙僧之罪」？惟敬曰：「爾等既悉誠思順，則天朝何惜封貢」？行長等唯唯，解寶刀、銀袍爲贈。惟敬約行長曰：「我當於五十日往返，以完封貢，爾等亦切勿出掠，候我回來」。行長應諾。惟敬於平壤十里立木標，倭人無出標外，朝鮮人無入標內。

由此可知，沈惟敬首詰玄蘇，次使小西行長接受停戰五十日，並提出和談事，而使行長同意其要求。

惟敬何以與日方約定休戰五十日？

上(宣祖)將接見遊擊將軍沈惟敬，出御龍灣館。……上曰：「見兵部劄付曰：『有講和之意』，不勝悶迫。小邦與賊有萬世必報之讎。前日堅守五十日之約，以待天兵，而今反有許和之意。以堂堂天朝，豈可與小醜講和乎」？遊擊曰：「俺初以五十日爲限者，非爲倭也，只以道路泥濘，難於進兵。故欲待水田盡涸，秋穀畢收，然後方始舉事故也。今姑許和，使賊盡還貴國男女玉帛及二王子，然後徐待大兵之至，一舉蕩平矣。……」（註三七）亦即沈惟敬於萬曆二十年陰曆八月二十九日至倭營，許以和親、割地等條款，約定以五十日為期，藉此以待援師。惟敬告訴宣祖五十日為限之故，在待水涸秋收。其與行長訂約之時，在陰曆八月底，然則此進兵之適當時期，約當十月下旬至次年一月底以前。在此期間雨量較少，倭性畏寒，亦易克制。宋應昌受命經略在萬曆二十年陰曆九月底，時將入冬，籌備期間已不充分；李如松自寧夏至軍在十二月初，平壤克復已在次年正月初八日，故不事休息即積極進兵。迨二十七日碧蹄館之敗，則已漸入雨季。且說明兵入朝鮮不外海陸兩路，明自鄭和以還，海師久不整練，難於遠征（陳璘等水兵之助戰，終為少數），若從遼左陸路，則冬季祁寒，行軍已感不便，迨渡越鴨綠江，又氣溫漸暖，瞬屆雨季，此實明軍平倭之最大困難所在。（註三八）職此之故，惟敬之所以與日方約定休戰五十日，應是經過深思熟慮後方纔決定者。但無論如何，沈惟敬之冒險深入敵營，使日軍同意其提議休戰五十日，可謂已達成其初衷。

(二)、明朝中樞之傾向主戰

明兵部尚書石星對沈惟敬的和談工作雖心懷期望，卻無決定性的對策。沈惟敬於十一月再度前往平壤，向小西行長言日本欲假道朝鮮朝貢於明之不當，並要求歸還為日軍所佔領的城堡、土地，與被俘之二王子、陪臣，及將其侵略部隊撤走。然小西行長卻以各道俱有負責之將領而無法擅自決定為理由，拒絕沈惟敬之要求，但同意與諸倭將會晤時將表達其欲將歸還大同江以東之地之意。而有關沈惟敬此次入倭營交涉的經緯與夫朝鮮君臣對此事的反應，見於《朝鮮宣祖實錄》卷三二，二十五年十一月丁巳朔癸亥、癸酉、甲戌、乙亥、丙戌；卷三三，同年十二月丁亥朔己丑、庚寅、甲午、戊戌、己亥各條所紀宣祖之談話，與都元帥從事官柳熙緒、禮曹判書尹根壽、工曹判書韓應寅、兵曹判書李恒福等人之〈啓〉。

當沈惟敬離去後，日軍的宇喜多秀家與小早川隆景、小西行長、黑田長政、大友吉統、島津義弘、松浦鎮信、立花統虎、高橋統增、吉川廣家、筑紫廣門、安國寺惠瓊諸將，於九日在開城舉行有關和談的協調會議，然後將其開會結果報告豐臣秀吉。（註三九）

就明朝方面言之，石星雖不願見戰爭規模之擴大，然當和議的條件傳抵中央時，不僅有日軍乘虛突襲山東沿海之疑慮，而且李如松的戰意又非常旺盛，所以朝議便傾向於主戰論：

經略侍郎宋應昌言：「遊擊沈惟敬稱，倭賊頭目有願將平壤、王京一帶還天朝，不與朝鮮等語。至于義州存貯糧料、豆草，及遼陽倉積，可供五萬兵馬數月之用」。兵部覆題：「大兵征調，日慮芻餉不敷，轉運難繼。今士飽馬騰，便當相機剿，多方接濟，以圖萬全。所稱退還平壤、王京一帶或覬望窺伺不得恃，此忘備也」。奉旨：「覽奏，具知兵餉已備，著經略相機剿除，以絕後患」。（註四〇）

石星不僅言「今士飽馬騰，便當相機剿，多方接濟，以圖萬全」，而且更上言：

關白平（豐臣）秀吉倡亂元兇，妖僧玄蘇實爲謀主，有能擒斬二賊來獻者，照前議通候重賞外，平（豐臣）秀次既承秀吉，有能擒斬者，與斬秀吉同賞。其斬平秀如、平(德川)秀忠、平（小西）行長、平（宗）義智、平（松浦）鎮信、宗逸者賞銀五千，世襲指揮使。若海外各島頭目，有能擒斬各來賊（賊來）獻，許即封爲日本國王，仍加厚賚」。（註四一）

神宗對此一上疏所作裁示是：

賞格部議已定，著經略并各鎮及朝鮮等處宣示軍中，仍行各省直通諭海外諸國遵照，共圖剿滅兇殘，各安境土，成中外蕩平寧輯之治。（註四二）

在此情形之下，媾和的交涉便告中斷。宋應昌擔心明廷傾向主戰的消息爲沈惟敬所洩漏，致日軍有所防備，故將其扣留於遼東。

迄至萬曆二十一年（宣祖二十六年，文祿二年，一五九三）上旬，乘平定哱拜之亂之氣勢來到朝鮮的李如松之大軍，雖於同月八日向平壤發動總攻擊，使小西行長敗績，不得不於翌日退卻而於十七日回到京城，致戰局大爲改觀。收復平壤的捷報立即傳至寧邊的分朝，翌日傳至義州。（註四三）惟至二十五日，李如松的前鋒副總兵查大受所統率之部隊於清晨自坡州前進，與日軍斥堠接觸，明日，李如松本人亦渡臨津江前往坡州，於二十七日黎明僅帶家丁千餘騎向碧蹄館前進，遂爲日軍所乘。《明史》〈李如松傳〉云：

官軍既連勝，有輕敵心。（正月）二十七日再進師。朝鮮人以賊棄王京告，如松信之。將輕騎馳碧蹄館。距王京三十里，猝遇倭，圍數重。如松督部下鏖戰。一金甲倭搏如松急，指揮李有聲生死救。（李）如柏、（李）寧等，奮前夾擊。（李）如梅射金甲倭墜馬。楊元兵亦至，斫重圍入，倭乃退，官軍喪失甚多。

李如松戰敗後，倉皇退至坡州，於二月十八日退駐平壤。於是封貢之議復行。夏燮云：

李如松既敗衄，氣大索，宋應昌亦欲暫休師。會倭以糧盡去王京，如松與應昌入城，將遣兵尾擊之。而倭步步爲營，官軍不敢擊，于是沈惟敬封貢之議復行。（註四四）

《明史》卷三二〇〈朝鮮傳〉亦云：

（李）如松既勝，輕騎趨碧蹄館。敗，退駐開城。……至是敗，氣縮，而應昌急圖成功，倭亦乏食有歸志，因而封貢之議起。

亦即李如松在碧蹄館之役見敗後，與宋應昌商議，於四月復將沈惟敬送入日本軍中，使其重開外交折衝，以謀打開局面。而日軍亦疲於戰爭及缺乏糧食，更因受不了朝鮮義兵之攻擊而期望和議者日多。職此之故，當沈惟敬抵京城時，小西行長便與諸倭將商議，重啓媾和交涉之門。（註四五）

四、重開和談

豐臣秀吉所發動侵略朝鮮的戰爭，因和談而暫告結束。此一和談雖從萬曆二十一年（宣祖二十六年，文祿二年，一五九三）開始，前後歷時四年，卻因秀吉對它所期待的媾和條件落空，致重啓戰端。秀吉發動侵略大軍的目標，原在於明，且欲以「假道入明」方式採取行動。其所謂「假道入明」，就是企圖經由朝鮮入侵於明，亦即當朝鮮派遣通信使黃允吉、金誠一等赴日之際，小西行長爲沖淡朝鮮爲其征明作嚮導之意而想出來的藉口。(註四六)爲此「假道」問題，雖一再與朝鮮交涉，然一向與明關係密切的朝鮮之拒絕其要求，乃理所當然之事。

當秀吉於萬曆二十年發動大軍，渡越對馬海峽入侵半島後，除朝鮮本身之抵抗此一外來侵略外，明朝也派遣大軍馳援。於是無論和議與戰爭，具爲中、日雙方直接接觸。並且當祖承訓敗退後，由沈惟敬開啓和議時，小西行長等人竟將「假道入明」轉用爲「經由朝鮮朝貢於明」之意，更向明要求許其封貢作爲媾和之條件。非僅如此，竟還要求割讓日軍已佔領之大同江以東之地給日本。在此前後，倭將加藤清正非但勸王世子之分朝投降，同時也向其提及割讓領土事。惟當沈惟敬正與日方進行和談之際，明朝所遣大軍不僅收復平壤，而且進逼京城。在此情形之下，沈惟敬便不知所措。然當李如松於碧蹄館之役敗衄後，和議再起。《國朝寶鑑》，卷三一，宣祖二十六年紀碧蹄館之役以後之事云：

提督李如松還住平壤。提督久留開城，糧運垂乏，無意進取。數使人經略(宋應昌)，蓋尋前日和議也。適有訛言，賊將(加藤)清正將自安邊西犯平壤。提督因此聲言：欲還救平壤。遂舉軍西還，留王必迪於開城。

由此觀之，李如松在碧蹄館之役喫敗後，有意重開前此進行之和談，因此方纔數次遣使至經略宋應昌處。然希望和談的，並非只是李如松，其部下亦有心懷此意者。《再造藩邦志》，二云：

提督有撤兵之意，沈吟不決。幕中士鄭文彬、趙如梅，亦勸講媾，罷兵爲主。……至碧蹄敗衄，氣大索。又頓師絕域，疾疫盛作，乃聽二人之謀，急圖休息結局。

此應可謂爲當時明軍的意見。身處遙遠的異域，而戰局又不順遂，並且疾疫盛行，所以想要早日結束此一戰事，乃理所當然之事。明軍有媾和之意，侵略軍的情形又如何？《再造藩邦志》，二又云：

倭且乏糧，眾多生瘡，亦聞天兵更發虎蹲等砲。及戰車列江上，聲勢日張，賊酋（小西）行長，懲平壤之敗，乃有歸志。適彰義使千鎰軍中有李蓋忠者，自請入京，探候賊情。見王子及長溪君、黃廷彧等，還言賊有講和之意。

由這段文字看來，日方亦有媾和之意，而其意較中國爲濃。並且由戰爭爆發前小西行長爲「假道入明」而與朝鮮當局交涉之態度可知，他是自始即爲倡和者，所以在平壤敗衄後，其欲談和的心情之日益濃厚，實不難想像。事實上，此後和談是重開了，但究竟由誰先提此事？當時從征之遊擊將軍錢世楨之《征東實紀》有如下記載云：

忽有倭奴夷二人，自烏山擺撥馬，兵士逐之，擲書而去。如是者再。兵士以書呈上。書中意求封貢，其實恐吾兵之躡其後。而經略以王京險峻不可攻，且吾師久疲於外，不若遣沈惟敬嘉興人而有口辯，因勢導以復王京，得寸則朝鮮之寸也。

可見是日本發軔於先。宋應昌雖爲主戰者，但提督李如松既有談和之議，所以終於贊同其意見。李光濤以爲乞和者爲（宇喜田）秀家，（註四七）然以當時情況觀之，應如德富猪一郎所說，係小西行長或其一夥。（註四八）但無論如何，碧蹄館之役後，明、日雙方俱有和意，乃無法否定之事實。《兩朝平攘錄》，卷四紀其實情云：

初，官軍捷平壤，鋒銳甚，不復問封貢事。及碧蹄敗衄，如松氣大索。應昌、如松急欲得休息。而倭亦芻糧並絕，且懲平壤之敗，有歸志，於是款議復行。

豐臣秀吉係在欲爲中、朝、日三國之主的野心下，發動大兵侵略朝鮮的，卻非放棄其野心謀和不可。日本的從軍者吉野甚五衛門在其《吉野日記》紀日本當時軍情云：

無論晝夜，均須防備。在浮橋遠哨者，聞唐（明）、高麗（朝鮮）之大軍在河口紮營，故各地大名均至都城。在都城的，自宇喜田宰相（秀家）、三奉行爲始，每日均開軍事會議。自正月下旬起，至今已是三月，大家無不以爲命在旦夕。兵糧且盡，使人難堪。正以爲大事已盡之際，遊擊將軍（沈惟敬）自河船來。……攝州（小西行長）親自出來問來由。言係爲和談而至。其言雖眞假莫辨，小西卻以和談難免而一口答應。

德富就此發表其見解云：

這段文字把當時情形描寫得使人如同身歷其境。無論有無和談，都非撤退不可，否則他們唯有餓死京城而已。此時能夠和談，總算保住面子。我們於憤慨小西行長窩囊之前，不可忘卻鎖所有日軍之士氣低落，及日益窘迫之情況。（註四九）

此正說中當時日軍進退維谷的情狀，可謂鞭辟入裏。對小西行長而言，沈惟敬的出現，無異是絕處逢生。

就這樣，中、日兩國都欲進行和談，但朝鮮反對此事。這就如宣祖對其臣僚所說：「我國有萬世必報之讎，豈可與彼相和哉」（註五〇）似的，絕不想與侵略者媾和。德富猪一郎云：

在明、日兩國接洽和談期間，絕不想和談者爲朝鮮，而以其國王李昖爲尤甚。他們的第一個目的是藉明軍的力量，將日軍驅逐出境。第二個目的在收復所有失地。第三個目的則爲向日軍及日本採取報復行動。然在尚未給予有效打擊，大半領土未收復，及日軍尚蟠居京城之際，就與日本談和，此對朝鮮而言，既感困惑，又十分不情願。故其極力反對謀和，乃理所當然之事。（註五一）

此話頗能道出朝鮮之心意來。國土被犯，陵墓被掘，人民被殺，財產又受很大損失之朝鮮人，他們不僅有萬世必報之仇，且有不共戴天之義，而誓欲決一死戰，故其反對和談，乃天經地義。朝鮮的意向即使如此，明軍的意見卻是：

倭奴在你（朝鮮）國，則固爲百世之讎，在中國則亦是蠢蠢中一物。彼既乞降服罪，我不可不從。（註五二）

而採與朝鮮相對的立場，欲早日結束戰事。

由前文可知，朝鮮雖然反對媾和，明、日兩國卻逕自進行和談，開始外交折衝。提督李如松與經略宋應昌謀，於四月復將沈惟敬送至日本軍中，使其擔任交涉工作。（註五三）

五、和談與其失敗

(一)、開始和談

明使沈惟敬承宋應昌、李如松之意，爲談和而與遊擊徐一貫、參將謝用梓偕往釜山。一貫、用梓二人於五月八日，與日軍之石田三成、大谷吉繼、小西行長、增田長盛等人同赴肥前之名護屋，但惟敬未同行。(註五四)小西行長等人旋返朝鮮，於六月二日歸還二王子與黃廷彧等俘虜。(註五五)柳成龍《西崖集》所謂：

提督(李如松)又使沈惟敬往誘倭，令渡海。又使徐一貫、謝用梓入那古耶(名護屋)見關白。六月，賊許還兩王子，及被虜長溪君、黃廷彧及其子黃赫等，遣沈惟敬歸報。

即紀其間情形者。不過惟敬未往日本，所以「遣沈惟敬歸報」云云，當然不確。

徐一貫、謝用梓二人抵名護屋後，豐臣秀吉視他們爲大明皇帝陛下所遣之全權大使，禮遇有加。此事詳於《甫庵太閤記》及《中外經緯傳》。

萬曆二十一年(宣祖二十六年，文祿二年，一五九三)五月二十三日，徐一貫、謝用梓二人與豐臣秀吉見面。同月二十八日，二人開始與日方交涉。明使與日本接伴者交涉的內容，被錄於《甫庵太閤記》中，其原文如下：

日本接伴者：

朝鮮全羅、慶尚兩道之士卒，開路過先鋒而各遮路，是朝鮮虛誕也，故互兩道則未收兵，待大明和親之實，而收兵者必矣。美虛誕之朝鮮，大明亦豈不誅之乎？日本聞和親之實，遂結屬國之約，則以日本爲先驅，伐韃靼，何不歸大明之掌握乎？日本粉骨碎身，欲酬大明皇帝。

徐、謝二使：

朝鮮虛誕，朝廷坐不愁（然），又不能無疑，故遣使求覩眞否？今一聞云，已潤（秋）愁（然）於胸中，即誕之意，歸奏朝廷，命下三法司科道面議，諒不經恕也。……收兵之遲，必在天朝震襟者也。太閤之忠誠，可達之天地，歸奏天子，嘉悅必矣，若有韃靼之禍，特遣使來請貴國之兵助之亦可。但今歸者已十年，于今九邊清寧，天下太平。茲又得貴國通知，千萬年之美事，可嘉可尚，可樂如之。

日本接伴者：

太閤以三成、長盛、吉繼、行長四人爲誠心之臣，諸般之事，與四人其（共）誠（議）之，其稀者，誠心之臣也，太閤視四臣，猶天朝視二使者必矣。請他日莫昧太閤所視好矣。思旃。殿下報麾下，先是三年告朝鮮王曰：於大明有訴事，朝鮮達之於大明可也，于越朝鮮差三使點頭矣。三年之間雖待之，遂不聞其實，故起兵者，全不會犯大明，只起兵而欲陳早（胸）臆而已。此明朝鮮遮路，故倭兵伐朝鮮，蓋是起自朝鮮訛日本之處。天朝今差二使命爲屬國，此事若慣朝鮮虛誕，太閤直入遼東，具以訴事，達天聽。二使歸去，以此意轉奏而無虛誕，則和親之策何加焉，思旃。

徐、謝二使：

貴國欲通中國之情，去年八月，先鋒已達於沈遊擊。沈遊擊回奏天子，文武皆信。奈何朝鮮不以實言，是以誤事。今差二使來會太閤，正求其實情如何。茲承示，知與先鋒之言若出一口，則無虛誕可知。而二國之和好，萬年不窮矣。余輩何大幸矣，即歸奏太閤殿下之美意也。

日本接伴者：

太閤以和親，大概書在懷裏，雖然私而決之，即使無天王（皇）及關白，故馳使告之。其大概件件，即今出供一覽，以所看請傳奏，示和親之實可也。頃日或使或書而雖間（問）之，太閤猶疑焉。今以面前俾于僧書問之，初信麾下所答。太閤以二使所說爲執政者所說，毫髮不書虛誕者，是太閤所欲也。請以太閤書置之手裏爲實誕，又太閤以麾下書留之箱中爲實誕。思旃。蓋是太閤之意也，大明若慣朝鮮虛誕，則日本怨恨益深，而難致忠誠，速以麾下之意，顯和親之實，而俾太閤歷覽北京及處處名區，則是麾下良媒乎。向所謂在懷裏之大概，凡今所書惟同，重供一覽，今日先閱焉。

五月廿八日　增田右衛門尉長盛、石田治部少輔三成、大谷刑部少輔吉繼、小西攝津守行長

此可謂爲明、日兩國和平談判的序幕，但俱爲日本所要求者，並且又是根據豐臣秀吉於萬曆二十一年五月朔日交給淺野長政、黑田孝高、石田三成等人的「和談七條件」而爲。（註五六）使我們感到不

可思議的是日本非戰勝國而提出種種條件，明朝則未提任何條件而處處處於被動地位。又，增田長盛等日本接件者所謂：「日本聞和親之實，遂結屬國之約」。「日本粉骨碎身，欲酬大明皇帝」。「大明今差二使，命爲屬國」等，値得注意。亦即豐臣秀吉在此一時期尙懷有以明爲宗主國的事大思想。至日本接件者所謂：「俾太閤歷覽北京及處處名勝」，希望與明結秦晉之好，達到其封貢之目的，而得至中國到處遊走，這未免想得太天眞了。

如據《甫庵太閤記》的記載，秀吉在此以後，曾於肥前之名護屋舉行盛大的船遊會；六月十日晨，則親自於山里爲其舉行盛大茶會。同月二十一、二兩日，徐、謝二使復與日方折衝和談，其交涉內容爲前此秀吉對其入侵朝鮮之侵略軍所提示的和談七條件。（註五七）二十八日，日方將下列結果通知明使。（註五八）茲將其原文之大意錄列如下：

◯日本大明和平條件

一、即使海枯石爛，亦不可違背和平誓約；迎大明皇帝之賢女，以爲日本天皇之后妃。

一、近年因兩國有間隙，致貢船貿易中斷。此時宜使之復舊，俾官商船能夠繼續往來。

一、大明、日本兩國通好而不可有所改變，爲此應取得兩國大臣之誓詞。

一、前此已遣軍討伐朝鮮，如今則雖可爲其國家、人民之安定而遣軍，然如接受此等條件，則與大明商議分割八道，其中四道並京城可歸還朝鮮國王。

一、將四道歸還朝鮮後，朝鮮王子與一兩名大臣應渡海至日本爲人質。

一、去年爲日軍前鋒所俘兩位王子，可交與沈遊擊，使之歸國。

一、朝鮮國王之重臣，應書寫萬世不違背和約之誓詞與日本。

文祿二癸巳年六月廿八日

石田治部少輔

增田右衛門尉

朱印　大谷刑部少輔

小西攝津守

前文已提日方同意歸還二王子事。他們於五月二十三日被送至釜山浦。不久以後，小西行長送徐、謝二使回朝鮮，並傳達秀吉同意送還二王子。七月二十二日，行長與其諸將議決此事，然後與徐、謝二使離開釜山，八月十五日抵黃海道，於鳳州晉謁正從黃州往海州的宣祖。（註五九）

上舉七條款中的第六款，因日方同意遣還而已告解決，而尚餘和親，恢復貢船貿易，兩國大臣之盟誓，割讓朝鮮京畿南半及全羅、忠清、慶尙三道與日本，以朝鮮王子及一二大臣爲人質，提出朝鮮國重臣之誓詞等問題未獲解決。前文已說，徐、謝二人完全處於被動地位，其態度有如戰敗者而沒有積極與對方爭論的跡象。乍看起來，此六款似很容易實行，事實上是困難重重。因爲徐、謝二人並非由明廷直接差派的使節，乃只係由經略派遣的，所以即使他們僅將封貢之事傳達國內，也自然有人反對。（註六〇）和談條款中，可行性最大的，可能就是恢復貢船貿易。貢船貿易在室町幕府時代（一三三六～一五七三）已有先例，其後雖因日本發生內亂中斷，但如予重開，則是復舊而理由可以成立。然而有關貢船貿易的交涉卻有阻礙，其因在於如要重開貢船貿易，則豐臣秀吉就非接受明之冊封不可。如要接受明之冊封，則必須針對著侵略明之屬國事請降納款。可是，即使中國方面同意冊封，卻不能許其貢，因爲如許之，則無異給予侵略之機會。

豐臣秀吉在交付和談七條款之前，曾令小西行長至釜山，使之與沈惟敬一起送還二王子。繼則以內藤忠俊爲和談使節，隨著徐一貫、謝用梓之回國，經由朝鮮到中國來。（註六一）內藤係丹波龜山的城主，其教名（Christian name）叫如安。因他又稱小西飛驒守，所以明與朝鮮俱簡稱之爲「小西飛」，（註六二）史乘亦作如此紀錄。

七月八日，日本和談使節內藤忠俊——小西飛，隨沈惟敬至王京拜謁李如松。然因前此秀吉使其侵略軍攻陷晉州，故如松首責此事，（註六三）因他太卑鄙啊。八月三十日，沈惟敬與內藤忠俊從王京出發，九月六日抵平壤，（註六四）前往遼東。當時，宋應昌與李如松已離開朝鮮返抵遼東。十月，副總兵劉綎陞任總督，從事衛戍朝鮮工作。（註六五）另一方面，宋應昌將明朝特使遣送至當時正在熊川的小西行長處，要求侵略軍退至對馬島，並提出豐臣秀吉的降書來。降書乃封貢時不可或缺的文件。

(二)、秀吉降表

當我們查閱明代史料時，雖無法發現上述豐臣秀吉的和談七條件，但實際從事交涉工作的沈惟敬、徐一貫、謝用梓等人必定知其內容。而明朝援軍之指揮者及朝鮮當局也似乎知其部分內容。此事可由《懲毖錄》卷二所云：

自沈惟敬挾倭將偕行後，道路傳說，不勝籍籍。或以爲請以漢江分南北，其說可駭，不可形諸口舌。

及《朝鮮宣祖實錄》卷四四，二十六年十一月辛亥朔壬戌條所云：

上曰：「戚將（戚金）所言沈惟敬割地之言，甚不詳。當初，倭賊之出京城，人皆喜之。以今觀之，似以割地之約退去矣」。柳成龍曰：「在平壤聞沈約曰：『大同（江）以下，任其自爲』云；在京城，必以此爲言」。……沈忠謙曰：戚金所言，至有不可言者。沈惟敬許倭以四道。倭曰：「無標而豈曰割地？必定標，然後可」。惟敬曰：「天將既許，則汝可耕種」。

得知個中情形。如據該《實錄》卷四五，二十六年辛巳朔甲申條所載，則小西行長曾於此一時期致書惟敬，則其自前此萬曆二十年八月二十九日，在平壤府外見面以來所違約之事。共分七款，內容如下：

第一件：去年在平壤西北劃分界限，言明雙方互不越界。今朝鮮人違約過界，閣下如何制止？

第二件：閣下謂於青石領墜馬，致誤來期。經醫療，已漸康復。爲問安，迎接閣下，乃遣我臣竹內吉兵衛前往，卻不使歸，則我將圍平壤。

第三件：閣下至漢江復言和談時，(日本)諸將皆不以閣下之爲可信。唯我獨信而從閣下之言，引兵撤出王京，並遺二十餘萬糧秣，所築倭營亦未予破壞；分散朝鮮各地之倭兵亦已調回。

第四件：遵守漢江之約，將遣還朝鮮二王子及其陪臣。

第五件：因與閣下約定不出兵全羅道，故至今平安無事。

第六件：閣下與余約定帶小將小西飛驒守（內藤忠俊）赴北京，面聆石（星）老爺意見。閣下又謂在三、四月間遣高官來此，並每隔二十日通信一次。但至今音信杳然，飛驒守亦久留王京後至平壤，無法前往北京而蹉跎歲月。余本信閣下之言，故奏請太閤遣飛驒守與閣下偕行。

而今事竟如此，未知何故？

第七件：差譯官法釋達護送（徐、謝）二使抵王京之日，即送還竹內吉兵衛。云云。此固爲二天使之言，彼二使必已將此事報告閣下，卻仍將其拘留。如留，按理應使之與飛驒守一起，而今將其安置別處，是何道理？

上舉第一件至第五件言小西行長本身遵守與沈惟敬在平壤府外所爲之約定，但惟敬卻未遵守，所以加以責備。第六件爲本書札之重點，亦即內藤忠俊被留在王京、平壤，致無法前往北京。惟敬且言每隔二十日通信一次，而三、四月之間帶明廷所遣大使來，卻毫無消息，所以行長可能在促惟敬履行此事。第七件則爲責備將通事拘留不放者。行長於舉上舉七件事後繼言：

閣下不來，天使未至，則在各地之諸將，豈不虛度光陰？出兵馬必矣。當此之時，莫言僕違約。而今言退兵對馬，不知所爲何事？如閣下復引天使來，則即使不命退兵，亦將自動退去。所示俱如磨牛蹈覆轍，希勿重提。餘期見面之日，惶恐頓首，不宣。

十一月十有五日　豐臣行長拜

亦即小西行長在威嚇沈惟敬，謂如再拖延，就要進攻；撤兵之事在和談使節來到以後再說。而惟敬似乎爲其言所嚇，遂與行長相見。

閏十一月，沈惟敬與內藤忠俊——小西飛的侍者，於王京謁見宣祖後南下。十二月二十四日，與行長密議。翌年正月二十日，取得豐臣秀吉之降表，離開熊山營。（註六六）降表內容如下：

萬曆二十三年十二月二十一日，日本關白臣平秀吉誠惶誠恐，稽首稽首，上言請告。伏以上聖普照之明，無微不悉；下國幽隱之曲，有求則鳴。披瀝愚衷，仰干天聽。恭維皇帝陛下，天佑一德，日清四方。皇極建而，舞干羽于兩階；聖武昭而，柔遠人于萬國。天恩浩蕩，遍及遐邇之蒼生；日本渺茫，咸作天朝之赤子。屢托（託）朝鮮而轉達，竟爲秘匿而不聞。控訴無門，引恨有日。不得已而構（搆）怨，非無謂而用兵。且朝鮮詐僞存心，乃爾虛瀆宸聽。若日本忠貞自許，敢爲迎忍（忿）王師。遊擊沈惟敬忠告諭明，而平壤願上。豐臣秀長等諭（輸）誠向化，而界限不逾。詎謂朝鮮構（搆）起戰爭，雖致我衆死傷，終無怀（抔）棺第（笫）王京惟敬舊約復申，日本諸將初心不易（易）。還城郭，獻芻糧，益見輸誠之悃。送諸臣，歸土地，用申恭順之心。今差一將小西飛彈（驒）守，陳布赤心，冀得天朝龍章，恩錫以爲日本鎮國寵榮。伏望陛下廓日照臨之光，弘天載地覆之量，比照舊例，特賜冊封藩王名號。臣秀吉感知遇之洪休，增重鼎台，答高深之大造。豈愛髮膚，世作藩籬之臣，永獻海邦之貢。祈皇基丕著于千年，祝聖壽綿延于萬歲。臣秀吉無任瞻天仰聖，激切屛（屛）營之至。」（註六七）

秀吉既不姓平，當時他已非關白，所以只要看此降表之第一行，便可知其爲僞。而當時中、韓兩國，亦均疑其眞實性。《朝鮮宣祖實錄》紀接伴使金瓚馳啓明朝總兵劉綎密語與他之事云：「表文非關白之書，乃行長自爲之假表也。」（註六八）又，副於請糧使許頊之馳啓的有關中國封貢論議之題本類所錄倭表注亦云：「此表文，人或謂之出於唐人之手，故甘士价（監察御史）題本亦曰：『表文出自中國文人之手，人人知之。』」（註六九）此倭表注並見於《朝鮮宣祖實錄》所錄降表下之雙行註。

如從上述豐臣秀吉之態度來看，則此表內容之非出其意，實至爲明顯。所以它必是日方爲達到開貢路之目的，而內藤忠俊、小西行長二人與沈惟敬研擬者。但無論如何，沈惟敬是順利將它弄到手的。

㈢、和談破裂

沈惟敬雖取得日本降表，但事情的進行並不順利，因爲在和談工作面前有三道難關。如藉德富猪一郎的話，則此三道難關是這樣的：

第一、日軍兩先鋒之一的加藤清正，因小西行長送還爲日軍所俘之二王子時，未向朝鮮當局取得任何補償，且見小西動輒遺忘秀吉所提示之和談條件，乃毅然決然的標榜、闡明此條件，將秀吉本意提示中、朝兩國。第二、朝鮮熟稔秀吉意在瓜分朝鮮，故極力阻撓和談之進行。第三、明廷內外的主戰者，他們包括以糾正當政者之過失爲其職責的御史，及通曉日本國情的地方官。所謂：「自前歲關白乞求許封，南北紛紛，言不可者十有七八，可者未見一二」，此乃神宗之所說。以上三道難關互爲因果，彼此錯綜，使得和談愈益困難。(註七〇)

德富並且舉《朝鮮宣祖實錄》所載：

上(宣祖)曰：「聞有許封、許貢之議云，已爲許之耶？何以定之乎」？(明)總兵(戚金)曰：「聖天子已爲許封，貢則特不許之矣」。

而以爲日軍之逗留釜山一帶，使和談更爲困難。此說頗爲允當。尤其從當時侵略軍士氣之低落，及補給糧秣困難的情形看來，即使侵略者不談和，也可以持久戰來擊敗敵人。因此，中、朝兩國實無須同意和談的。

在同一時期，明將劉綎使朝鮮僧侶松雲大師惟政，前往陣於西生浦的加藤清正營中，查明和談條件，並從事離間清正與行長之工作。此事詳於《朝鮮宣祖實錄》，卷五〇，二十七年四月己酉朔庚戌條所載〈接伴使金瓚馳啓〉、〈先鋒豐臣行長答劉綎書〉、〈加藤清正答劉綎書〉；《宣祖修正實錄》卷二八，二十七年四月條；《奮忠紓難錄》甲午四月〈日清正營中探情記〉，及德富猪一郎《近世日本國民史》《豐臣時代》戊篇，《朝鮮役》下卷。釋松雲與清正見面後，秀吉之和親、割地要求遂流傳於中、朝兩國，給和談工作帶來很大阻礙。結果，從前此一年十二月開始談判時即參與其事的宋應昌被革，由顧養謙兼理朝鮮事務。(註七一)明年，養謙抵遼東視事。養謙聞「關白降表」到，乃使遊擊周弘謨、婁國安赴小西行長營中，討論日軍撤退事宜，且送還於平壤所俘竹內吉兵衛等九人。

（註七二）養謙請明朝當局爲日本開放寧波港，封豐臣秀吉爲日本國王，並遣才力武臣往諭行長全軍撤退。（註七三）然因反對者多，一時難作決定。四月，養謙遣參將胡澤往王京，令其活動使朝鮮君臣奏封秀吉。（註七四）對於胡澤所提爲秀吉奏封之事，朝鮮王廷的意見難於統一。就宣祖本身而言，他最厭惡和議，而柳永慶、李爾瞻、鄭仁弘等北人派亦反對媾和。然成渾及李廷馣等西人派則極力主和，而南人派之柳成龍亦與西人派站在同一線上，雙方爭論不休，致久而難決。（註七五）胡澤在朝鮮的活動雖生波折，但朝鮮終於決定奏請，而以許頊爲陳奏使，韓懷爲書狀官，隨胡澤來華。（註七六）明廷既知朝鮮王爲日本請封，以保全其國土，遂責阻撓封貢諸臣，且嚴令兵部盡衆議以期戰守封貢之周全。六月十六日，養謙舉孫鑛爲其後任而獲准。七月四日，發表他們改敘的命令。（註七七）

萬曆二十二年（宣祖二十七年，文祿三年，一五九四）十月，在遼東的經略孫鑛，他一面遣使前往朝鮮探日本軍情，一面與遼東巡撫李化龍詳議制倭二策，即將驅逐倭軍與許市二案呈報中央。同月二十三日，因兵部尚書石星奏封豐臣秀吉之議獲准，明廷於是決定議和。（註七八）

既決定議和，明廷乃遣陳雲鵬、沈嘉旺至釜山，諭小西行長即時撤兵以待冊封使。並一面召當時在遼東的內藤忠俊至北京，檢討冊封事例，一面使孫鑛準備此項工作。十二月七日，忠俊抵北京。十三日，覲見神宗。（註七九）覲見後，明廷以筆談方式提示下列三條件云：

一、釜山倭衆准封後，一人不敢留住朝鮮，又不留對馬，速回國。

一、封外不許別求貢市。

一、修好朝鮮，共爲屬國，不得復肆侵犯。

忠俊即席一一親書接受。（註八〇）此即所謂之「秀吉誓約」，其實俱係忠俊個人之決定。

明廷因忠俊之來而證實日本態度後，即援成祖冊封足利義滿之例，決定封豐臣秀吉爲日本國王，並援順義王之例，決定授職倭將之效順者。其授職名單，則根據忠俊之意見而爲。（註八一）

十二月三十日，以臨淮侯李宗城爲冊封正使，楊方亨爲副。沈惟敬則爲使倭軍撤退，與正、副使偕往釜山。（註八二）

萬曆二十三年（宣祖二十八年，文祿四年，一五九五）正月，明廷準備冊封豐臣秀吉爲日本國王之誥命、冠服與金印。三十日，使李宗城一行赴日。他們不從寧波而經由朝鮮。（註八三）四月二十八日，抵王京而無法入城。（註八四）先宗城出發的惟敬於同月七日到王京，（註八五）與黃愼偕往日本軍營（註八六）見小西行長，研討迎接明使的準備工作。（註八七）三十日，行長返國向秀吉報告明使東渡事宜。（註八八）秀吉乃令尙在朝鮮之日本諸將，逐步撤退釜山、金海、熊川諸城以外的倭軍。行長東返期間，惟敬留其營中，至十一月三十日晨，始謁見正使。宗城一行爲等候日軍之撤退而頗費時日。其因在日方受行長之命，根據前此經驗來調整秀吉之要求與當前形勢而東奔西走。又，加藤清正的態度，與行長所爲和談條件之解釋法未盡一致，而與朝鮮方面的意見又未能十分溝通之故。（註八九）

十二月二十九日，沈惟敬向朝鮮政府提出咨文，謂欲完成中、日和平三事，以求永遠和好，且請其派兩名使臣偕往日本。朝鮮當局因冊封使無任何聯絡，故未立刻應承。（註九〇）另一方面，小西行長爲充實秀吉和談條件之藉口，乃期望朝鮮派通信使，且要求沈惟敬先冊封使赴日，於是惟敬稱先渡日準備迎詔事宜，而於萬曆二十四年（宣祖二十九年，慶長元年，一五九六）正月四日，偕小西行長東渡。（註九一）同年四月三日，在釜山等候的正使李宗城，他竟爲流言所惑，以爲豐臣秀吉將拘囚使節，更因見渡鮮更戍之日軍，以爲戰火重燃，竟惴惴不安而拋棄國書、金印，微服逃走。（註九二）沈惟敬在日本獲此消息，便立刻趕回朝鮮，與諸將共謀善後，並將此事報告本國，題奏副使楊方亨。廷議乃以方亨爲正使，惟敬爲副，（註九三）並急送因更換使節而改的誥命與章服。（註九四）朝鮮則更惟敬之接伴使黃愼爲明使接伴使。旋因決定派遣通信使，乃復更黃愼爲通信正使，大邱府使朴弘長爲副。使節團之人數共三百九名。一行於八月八日東渡，閏八月十八日抵沙蓋（堺）。（註九五）

九月二日（日本曆一日），冊封使楊方亨等，於五沙蓋（大阪城）將神宗皇帝冊封日本國王之誥命與詔勅授與豐臣秀吉，（註九六）並賜與日本國王之金印、冕服，及德川家康以下諸倭酋之職帖、冠服，冊封儀式於是完成。明日，豐臣秀吉以盛宴款待冊封使一行，家康以下均著明朝官服作陪。（註九七）因此可說，一行已完成重大使命。然在此後不久，秀吉因加藤清正之報告，始知此冊封乃經沈惟敬、小西行長之策劃而完成者，既不割讓土地、和親，朝鮮王子也不赴日「謝再造之恩」，而僅遣其陪臣來。所以他爲自己期望落空而震怒，乃立刻重下動員之令。結果，不但朝鮮使者無見秀吉機會，中、朝兩國亦俱無法獲其復書而空手回來。（註九八）

冊封使楊方亨的工作雖失敗，回國後卻報其成功，（註九九）兵部尙書石星亦深信不疑。然當豐臣秀吉重新動員，入侵朝鮮，而朝鮮又來請援時，方亨的虛僞報告不攻自破。不得已，這纔說出事情眞相，將一切過失推到沈惟敬身上。（註一〇〇）沈惟敬因事不成，不敢回國，或擬與加藤淸正交涉，或擬降小西行長而俱未成功，終於被捕棄市。（註一〇一）石星亦引過於相信惟敬之責，擬親赴朝鮮謀和不成，終於被斬而亡。（註一〇二）

六、結　語

縱觀豐臣秀吉侵略中國、朝鮮的案子，可由其與關白豐臣秀次的朱印狀——「豐太閤三國處置大早計」，及「與山中橘內書」得知個中情形。該二書之內容乃欲將中國作爲日本天皇的直轄地，日本本土爲其皇族之采邑，朝鮮則由豐臣氏族人來統治。此案乃與其完成控制日本國內之戰國大名之新政權後，欲鞏固其基礎之政策密切不可分，於是欲同時解決封建君主的擴張領土——取殖民地，及企圖對外貿易隆盛之兩件事情，以應其所面臨之時代要求者，所以這是萬事爲他自己打算的如意算盤。豐臣秀吉此睥睨一世而夜郎自大思慮欠周的舉動，係立足於爲完成統一日本全國之戰的延長線上者，其目的之在擴張領土，實至爲明顯。而他之強要對方屬服，實暴露其天眞、淺薄的個性來。

秀吉雖欲以恢復對明的貢船貿易，來鞏固其政權的經濟基礎，但其膚淺的想法，卻使他絲毫未顧慮到東亞世界之國際社會的傳統。亦即絲毫未顧慮以中華世界帝國爲中心的冊封體制，與華夷世界的傳統習慣，及對明、朝鮮、中國東北地方之相互關係，與歐洲船隻之動向的洞澈瞭解，或再則對朝鮮之民族意識的認識之膚淺，有關國際知識之闕如，與其自以為是（註一〇三）之盲昧，均已埋下其行為徒然遺臭千古的惡因。

祖承訓的敗退震驚了中國國內，故神宗除採一連串的海防措施外，並募有能恢復朝鮮的幹才。沈惟敬向兵部尚書石星應募，獲神機三營遊擊將軍頭銜，前往朝鮮與倭將小西行長談和。

沈惟敬的和談工作雖曾一度停頓，然當李如松於碧蹄館戰敗後不久，又開始談判。和談乃中、日兩國將士之徑自行為，此乃蒙蔽豐臣秀吉及將反對停戰的朝鮮當局擱置一旁的交涉。此交涉經許多波折後，終於達成冊封豐盛秀吉的協議。雖然如此，終因此和談條件的內幕為加藤清正所暴露。秀吉因大發雷霆之怒，復下侵略命令；是為丁酉之役。此役直至秀吉去世，侵略者方纔撤兵回國。

就結果看來，秀吉的對外侵略，乃是對東亞國際秩序的挑戰。（註一〇四）此雖與足利義持之對明斷交（註一〇五）之立場不同，但他在壬辰之役後與明進行和談時，也大為改變初衷而有尊明朝為宗主國之思想，此可從明使徐一貫、謝用梓二人，與日本代表所交涉之紀錄看得出來。

【註釋】

註　一：有關朝鮮通信使黃允吉、金誠一等人哨報豐臣秀吉即將入寇消息的始末，與當時朝鮮君臣的態度問題，請參看拙著《明·日關係史の研究》（東京，雄山閣，昭和六十年二月），頁四八二～四九二，或《明代中日關係研究》（臺北，文史哲出版社，民國七十四年三月），頁五六六～五七八。

註　二：召上愚公（茅瑞徵），《萬曆三大征考》（明天啓元年鈔本）〈倭上〉云：「朝鮮望風潰」。谷應泰，《明史紀事本末》（北京，中華書局本），卷六二，〈援朝鮮〉。金時讓，《紫海筆談》。

註　三：《朝鮮宣祖實錄》（漢城，國史編纂委員會，一九八一年十月，影印縮刷版），卷二六，二十五年四月辛酉朔丙午條。柳成龍，《懲毖錄》。朴東亮，《寄齋史草》，下。《壬辰日錄》，萬曆二十五年四月十七日條。

註　四：《朝鮮宣祖實錄》，卷二六，二十年五年四月辛酉朔丁巳條。

註　五：《萬曆三大征考》，〈倭上〉。《朝鮮宣祖實錄》，卷二六，二十五年四月辛酉朔丁巳、戊午條。

註　六：李肯翊，《燃藜室記述》，卷一五。

註　七：《明史紀事本末》，卷六二，〈援朝鮮〉。《朝鮮宣祖實錄》，卷三三，二十五年十二月丁亥朔條。

註　八：夏燮，《明通鑑》（上海，古籍出版社，一九九〇年十月），卷六九，〈紀〉，六九，神宗萬曆二十年五月條。陳鶴，《明紀》，卷四三，〈神宗紀〉，五。《明史紀事本末》，卷六二，〈援朝鮮〉。《朝鮮宣祖實錄》，二十五年四月丁酉朔丁巳條。

註　九：同註八。中村榮孝，《日鮮關係史の研究》，中（東京，吉川弘文館，昭和四十四年八月），頁一四八。

註一〇：《明史紀事本末》，卷六二，〈援朝鮮〉云：「時倭已入王京，毀墳墓，劫王子、陪臣；剽府庫，蕩然一空。八道幾盡沒，且暮且渡鴨綠。請援之使，絡繹於途」。《朝鮮宣祖實錄》，卷二六，二十五年五月庚申朔戊子條。《寄齋史草》，下。《壬辰日錄》，同年同月十九、二十九日條。

註一一：《朝鮮宣祖實錄》，卷二六，二十五年五月庚申朔戊子條。《寄齋史草》，下。《壬辰日錄》，二，同年六月初一、二日條。

註一二：《朝鮮宣祖實錄》，卷二七，二十五年六月己丑朔己亥條。《寄齋史草》，下。《壬辰日錄》，二，同年同月十一日條。

註一三：《朝鮮宣祖實錄》，卷二七，二十五年六月己丑朔辛丑條。

註一四：同前註。

註一五：《明通鑑》，卷六九，〈紀〉，六九，神宗萬曆二十年五月條云：「時朝鮮承平久，兵不習戰。（國王李）昖又湎酒弛備，猝聞難，望風皆潰。昖棄王城，奔平壤，令次子琿攝國事。已，復走義州，求內屬」。《明紀》，卷四三，〈神宗紀〉，五，並見此事。《萬曆三大征考》，〈倭上〉。《明史紀事本末》，卷六二，〈援朝鮮〉。《朝鮮宣祖實錄》，卷二七，二十五年六月己丑朔辛丑、壬寅、癸卯條。《寄齋史草》，下。《壬辰日錄》，二，同年同月十四、十五日條。

註一六：《明史紀事本末》，卷六二，〈援朝鮮〉。《朝鮮宣祖實錄》，卷二七，二十五年六月己丑朔庚戌條。

註一七：《朝鮮宣祖實錄》，卷二七，二十五年六月己丑朔辛亥、壬子、甲寅條。

註一八：有關朝鮮哨報豐臣秀吉即將入寇之消息的始末，請參看拙著《明・日關係史の研究》，頁四八二～四九二，或《明代中日關係研究》，頁五六六～五七三。

註一九：《明神宗實錄》（臺北，中央研究院歷史語言研究所影印本），卷二四八，萬曆二十年五月庚寅朔己亥條云：「朝鮮國王咨稱：『倭船數百，直犯釜山，焚燒房屋，勢甚猖獗』。兵部以聞。詔遼東、山東沿海省，直隸督撫道鎮等官，嚴加整練防禦，無致疎虞」。亦即明在接獲朝鮮王日本入寇之報告時，也仍未採取救援之策，故對該國之疑慮仍未全釋」。請參看魚叔權，《攷事撮要》，萬曆二十年壬辰條。

註二〇：《朝鮮宣祖實錄》，卷二五，二十四年十月癸巳朔丙辰條。

註二一：《明神宗實錄》，卷二五〇，萬曆二十年七月戊午朔丙寅條。

註二二：同前註書卷二四九，同年六月己丑朔乙未條。

註二三：申炅，《再造藩邦志》（臺北，珪庭出版社，民國六十九年九月），二，萬曆二十年七月條。《攷事撮要》，同年壬辰條。

註二四：請參看《明史紀事本末》，卷六三，〈平哱拜〉。

註二五：諸葛元聲，《兩朝平攘錄》，卷四，〈日本〉。

註二六：《明史紀事本末》，卷六二，〈援朝鮮〉紀祖承訓之敗北云：「七月，遊擊史儒等師至平壤，不暗地利，且霖雨，馬奔逸不止。儒戰死。副總兵祖承訓，統兵三千餘，渡鴨綠江援之，僅以身免」。《兩朝平攘錄》，卷四，〈日本〉。

註二七：《再造藩邦志》，二。

註二八：《明神宗實錄》，卷二五一，萬曆二十年八月戊子朔壬寅條。

註二九：同前註書卷二五三，同年十月丁亥朔辛卯條。

註三〇：同前註書同卷同年同月壬辰條。

註三一：同前註書同卷同年同月丁酉條。

註三二：《朝鮮宣祖實錄》，卷三五，二十六年二月丙戌朔甲午條。

註三三：《朝鮮宣祖實錄》，卷三五，二十六年二月丙戌朔乙未條。

註三四：同前註。

註三五：《明通鑑》，卷六九，〈紀〉，六九，神宗萬曆二十年八月乙巳條紀沈惟敬之事云：「時倭入豐德等郡。兵部尚書石星無所出，議遣人偵之。于是嘉興人沈惟敬應募。——惟敬者，市井無賴也」。《明史紀事本末》，卷六二，〈援朝鮮〉所表示之見解與此相同。《兩朝平攘錄》，卷四，〈日本〉。

註三六：同前註。

註三七：《朝鮮宣祖實錄》，卷三二，二十五年十一月丁巳朔癸酉條。

註三八：王崇武，〈李如松東征考〉。

註三九：伴三千雄，〈文祿慶長役數次の軍議〉（《歷史地理》，第四十卷第一四號）。

註四〇：《明神宗實錄》，卷二五五，萬曆二十年十二月丁亥朔己亥條。

註四一：同前註書同卷同年同月庚子條。

註四二：同前註。

註四三：《朝鮮宣祖實錄》，卷三四，二十六年正月丙辰朔甲子條。

註四四：《明通鑑》，卷七〇，〈紀〉，七〇，神宗萬曆二十一年夏四月壬寅條。

註四五：中村榮孝，《日鮮關係史の研究》，中，頁一六六。

註四六：同前註書，頁一七四。

註四七：李光濤，《朝鮮壬辰倭禍研究》（臺北，臺灣商務印書館，民國六十一年九月），頁一一六。

註四八：德富猪一郎，《近世日本國民史》，〈豐臣時代〉，戊篇，《朝鮮役》，中，（東京，民友社，昭和十年五月），頁三三六。

註四九：同前註書，頁三四六～三四七。

註五〇：《朝鮮宣祖實錄》，卷五〇，二十七年四月己酉朔條。

註五一：同註四七所舉書，頁三六四。

註五二：《朝鮮宣祖實錄》，卷三七，二十六年四月乙酉朔條所紀經略宋應昌答左承旨洪進之語。

註五三：《明史》（臺北，鼎文書局點校本），卷三二〇，〈朝鮮傳〉云：「（李）如松既勝，輕騎趨碧蹄館。敗，退駐開城。……至是敗，氣縮。而應昌急圖成功，倭亦乏食有歸志，因而封貢之議起」。《明通鑑》，卷七〇，〈紀〉，七〇，神宗萬曆二十一年四月月壬寅條則云：「李如松既敗衄，氣大索，宋應昌亦欲暫休師。會倭以糧盡去王京，如松與應昌入城，將遣兵尾擊之。而倭步步爲營，官軍不敢擊。于是沈惟敬封貢之議復行」。

註五四：《永哲赴朝鮮記》記載沈惟敬留在釜山，未與徐、謝二使偕往名護屋之事，其原文云：「文祿二年（萬曆二十一年，宣祖二十六年，一五九三）癸巳五月念四，俄有命赴朝鮮國。增田右衛門少輔長盛、大谷刑部少輔吉繼、石田治部少輔三成、小西攝津守行長四臣，亦有西行命，同日要解纜。及聽命，即詣殿中，具聽鈞命。勅使參將謝用梓龍岩，同遊擊徐一貫唯吾，超海朝殿下。遊擊沈宇愚者，在釜山浦不超海，捧短牘矣。殿下遣宇愚瓊報，命四臣傳送之，予亦副矣」。惟敬之留在釜山，可能事先已有所安排，因爲日人原富太郎收藏之文書中，其於四月十七日由小西行長、增田長盛、大谷吉繼三人致長束大藏、石田木工之書札謂：「欽差二人來日事，決定由（沈）遊擊送至釜山」啊。

註五五：《明通鑑》，卷七〇，〈紀〉，七〇，神宗萬曆二十一年六月癸卯、秋七月條。《明紀》，卷四三，〈神宗紀〉，五，同年同月條。黑田省三，〈臨海．順和二君の生擒と其送還〉（《青山學叢》，第十八號）。

註五六：豐臣秀吉手示淺野長政、黑田孝高、石田三成等人的「和談七條件」如下：

一、以大明皇帝之公主爲日本天皇之后。

一、洽商勘合事宜。

一、大明、日本兩國武官互換誓約。

一、維持朝鮮之和平；朝鮮割讓四道與日本。

一、朝鮮以王子一人及重臣爲人質。

一、遣還前此所俘之二王子。

一、朝鮮國重臣提交永遵此約之誓約。

註五七：據日本《法學會雜誌》，第十五卷所載〈帝國大學編年史料〉，徐、謝二使與日方談判的筆錄原文如下：日明和平談判筆記（南禪舊記玄圃和尚筆，文祿二年六月廿一日。筆者註：此括弧內文字原書寫成爲兩行）

明使　承示款目，大閤欲二使件件依允乎？或少可更改云乎？

日本　大閤唯供麾下高覽，若有所欲，向今日之使者指示之。既是吾王嚴命也，叨不可改之。

明使　如是任憑尊意。

日本　雖然所思示之，又可得大閤之命。

明使　二使而來會，無非欲續舊好，一惟通和氣忘客氣耳，故絕無半言誇大之意，以忤大閤懷也。及見所示條目，中多情理不通，若如此，二使將此意隱之不報我天子乎？將此言直言於天子乎？隱之則涉虛誕，直之則忽於不就，必欲和好，請削數件，則大事豈不可就哉？

日本　所欲削之條數示之。

明使　首件事宜削去可也。

日本　除嫁娶禮，則無和親驗如何？此外，和平深重誓盟，所希者示之。

明使　自周迄今，日本、大明和好，是有舊典，未聞有婚嫁之事。和親之事，何代有之？老禪師必知之，予則不知也。今韃靼國，亦與我國和好，封順義王，亦未聞有此事也。若通好，豈在和親為驗哉！大事若定，往來之使不絕，予輩若可委曲處者，相機行事，何必以此為首務哉！思之々々。漢時以民間女作公主，嫁於烏孫，史書至今罵之，若如此一件書去，朝廷必然大怒，大事壞矣。予與貴國以誠信相感，今姑應承而去，匿而不奏皇上，是予二使欺心，即此渡海，必遭沉舟之禍矣，予故以實告，願將此條且不用。

日本　此條件謂二紙總數耶？又有所指乎？

明使　二紙皆三副，將具秉於經略宋老爺則可，若欲進我朝廷者，必如予所書意，詞語謹遜，方為和好之美。

日本　是大閤殿下自具，二使賫去奏上，條件隨麾下意書之，是諭之。

明使　七件之中，除第一件則餘六件者領納之耶？又質朝鮮王子者，此在朝鮮未敢必也，待二使回達經略，議而行之。

日本　八道之中，四道並國城者，先應大明敕，殘四道者，以大明命朝鮮王子、大臣兩三人為質，居日本。大明、朝鮮，私情深重，而行嫁娶之禮，則四道悉可被付與之歟？

日本　大閤殿下自一本內三，日本自周時通好中國不絕。大明洪武以來嘉靖並皆往來，至三十五年後方絕往來。今大閤受天神異，戡亂定方，惟中國不通，心每不足。三年前，約朝鮮代為伸（申）訴。朝鮮誑哄，故舊年三月，起兵伐之。然戒前鋒曰：遇大明人即以欲通好之情訴之，就駐兵以待回報。今蒙差二天使至，乃知天朝不棄之情，感激無他。伏乞准照舊例，通朝貢商船，並開款目奏聞，大約如此書則妙矣。

明使　二紙條件，先令朝鮮王見之耶？先備大明皇帝御覽耶？

日本　不與他見。

日本　二天使歸大明之時，雖可副二使，大閤押印書二通見之，則不可有疑團，況又二使所奏，大明不可疑，故不及日本使。

明使　差去使人更妙，如不肯，罷々！

日本　兩國和親之後，差使臣可令趨大明。

明使　依命。

日本　日本與震旦，古今婚嫁禮者未聞，和親者丁大元之代，以補陀寺僧等諭日本。至元年中，以十餘萬雖攻日本，不得之。十萬兵，生還者三人，詳于《元史》。

明使　婚嫁之事原無，中國攻日本，不得生還者有之。日本人一萬，自損三千，即日本之攻朝鮮，兵將人々保全乎？此言非我與爾講和者言，愼之々々！

（文祿二年六月廿二日）

日本　昨日二天使所示，無遺餘告之大閤。大閤曰：大明、日本不行婚嫁禮，則以何表誠意乎？不然，朝鮮八道中，四道者應大明命，可還于朝鮮王；四道者，可屬大閤幕下。押大明還帝金印，中分朝鮮國，可割洪溝，結嫁娶盟耶？中分朝鮮耶？兩條之中，不隨大閤所思，大事難成也。

明使　予等奉使而來，蓋爲朝鮮乃我大明屬國，爲其解紛排難。茲蒙收兵釜山，極見通好至意。至於婚嫁之禮，決不可行。所示中分八道，豈我大明利其土地乎？朝鮮既爲屬國，則八道土地皆我大明所屬矣！欲中分之，則置朝鮮王於何地？若依大閤所思，我大明又何用救朝鮮乎？今救朝鮮而反分朝鮮，則我大明爲不仁不義，何以爲天下之主哉！在大閤，英雄已聞於遠近，取其土地，徒有不義之名，何益之有哉！今惟與我天朝通好，收兵回國，保全朝鮮人民，則美名、仁德揚萬世，豈不偉哉？此予二使愚見若此，幸高明亮察。若大閤必欲中分四道，二使承命而去，必當奏聞，許否未敢必也。倘或不允，大閤勿怪二使今日不直言也。

日本　二使雖來日本，無大明之條件，故自大閤書七件，其內以婚嫁之禮，八道中分之兩條爲最，兩件不任大閤所欲，則大事難決，二使不決亦理也，歸大明可奏之。又到釜山與沈遊擊等可議之。婚嫁一件，與日本者始也，漢朝以來，嫁異國者非無其例，二使能奏而結和親盟，則全朝鮮人民罷大明兵士，則非萬代良謀乎？漢家已以毛延壽爲忠臣，然則二使亦保全大明，朝鮮億兆人民者，大明之良臣也，歸大明雖奏之無允容者，非二使素志者，委悉告報大閤也。和親之事，必大閤不欲之，自大明雖不分四道，遣猛將可討之者，在大閤掌握，思之。

明使　所言有理，但毛延壽獻昭君容貌圖與單于。

明使　所示甚有理，但畫工毛延壽獻王嬙美女圖與單于。單于執圖來求，此時漢正與親厚，遂按圖與之，乃民間女也，既賜單于云，後遂誅延壽，至今有昭君怨。相傳胡地皆黃草，昭君墓上獨青草，尾皆南向，非精魂所發乎？予二人不願此等臣也，思之。至欲於大閤遣猛將伐之者，此意當奏聞之。

日本　依命。朝鮮八道者，不及大明之金印，諸將悉入得城中，雖然依大明和平之勅使，收兵於釜山浦，四道並國城可付與朝鮮王，亦爲應大明史命也。今又可伐八道者，在大閤方寸，婚嫁禮、八道中分之兩件，一事亦不應大閤之意，則再命將士可伐八道，歸大明奏之，棗棗待回命。四道國城者，隨大明敕。殘四道者，屬大閤麾下，是先和平之端也。今所領之四道，依爲大明之屬國保護之，則可行嫁娶之禮，州郡縣邑金銀珠玉者，非大閤所欲，唯遺功名於萬代者所希求也，此一事能銘肝而可奏之。大國成敗，在此一舉也。

明使　依命。

註五八：《法學會雜誌》，第十五卷第四號。

註五九：宋應昌，《經略復國要編》（明萬曆年間原刊本），卷九，萬曆二十一年七月二十八日〈報石司馬書〉；八月十一日〈謝還二王子咨〉。《朝鮮宣祖實錄》，卷四〇，二十六年七月癸丑朔丁卯條〈慶尙左道觀察使韓孝純馳啓〉；同書卷四一，同年八月壬午朔甲午條〈移宋經略咨〉；同書同年同月丙申條。

註六〇：《明神宗實錄》，卷二五九，萬曆二十一年四月乙酉朔戊戌條；同書卷二六二，同年七月癸丑朔辛酉條。

註六一：《經略復國要編》，卷九，萬曆二十一年七月二十二日〈移本部咨〉；卷一〇，同年八月二十九日〈講明封貢疏〉。《朝鮮宣祖實錄》，卷四〇，二十六年七癸丑朔丁巳條。

註六二：《日鮮關係史の研究》，中，頁一八三。

註六三：《經略復國要編》，卷一〇，萬曆二十一年八月二十九日〈講明封貢疏〉。《明神宗實錄》，卷二六四，萬曆二十一年九月丙子朔壬戌條。《朝鮮宣祖實錄》，卷四〇，二十六年七月癸丑朔庚午條。

註六四：《朝鮮宣祖實錄》，卷四一，二十六年八月壬午朔辛亥條；卷四二，同年九朔癸亥條。

註六五：《明神宗實錄》，卷二六五，萬曆二十一年十月辛巳朔乙酉條。

註六六：《朝鮮宣祖實錄》，卷四五，二十六年閏十一月辛巳朔癸未、甲申條；卷四八，二十七年二月庚戌朔乙卯條。

註六七：同前註書卷五一，二十七年五月戊寅朔辛丑條。

註六八：同前註書卷四八，同年二月庚戌朔乙卯條。

註六九：同註六六。

註七〇：《近世日本國民史》，〈豐臣時代〉，戊篇，《朝鮮役》，中，頁五八九～五九〇。

註七一：《明神宗實錄》，卷二六八，萬曆二十一年十二月庚戌朔丙辰條。

註七二：《朝鮮宣祖實錄》，卷四八，二十七年二月庚戌朔壬申條；卷五〇，同年四月己酉朔乙丑條。

註七三：《明神宗實錄》，卷二七三，萬曆二十二年五月戊寅朔條；卷二七四，同年六月戊申朔庚申條。《朝鮮宣祖實錄》，卷五一，二十七年五月戊寅朔辛丑條。

註七四：《朝鮮宣祖實錄》，卷五〇，二十七年四月己酉朔甲戌條〈海平府君尹根壽等馳啓〉。

註七五：參看前註書卷五一，同年五月戊寅朔庚辰、癸未、戊子、己丑、庚寅、辛卯、癸卯、庚子、壬寅、甲辰各條。

註七六：《日鮮關係史の研究》，中，頁一九六，註三二之記載。

註七七：《明神宗實錄》，卷二七七，萬曆二十二年九月丙子朔乙丑條。談遷，《國榷》（北京，中華書局本），卷七六，萬曆二十二年六月戊申朔癸亥；九月丙子朔丁亥條。《朝鮮宣祖實錄》，卷五六，二十七年十月己酉朔甲申條。

註七八：《明神宗實錄》，卷二七八，萬曆二十二年十月乙巳朔丁卯條。王錫爵，《王文肅公文集》（明崇禎刊本），卷一，〈勅諭朝鮮國王二道〉、〈擬進征東勅諭疏并勅諭二道〉、〈答問東事疏〉。《國榷》，卷七六，萬曆二十二年十一月己卯條。

註七九：《明神宗實錄》，卷二八〇，萬曆二十二年十二月甲辰朔甲寅條。《萬曆三大征考》〈倭上〉。《兩朝平攘錄》，卷四，〈日本〉，上，萬曆二十二年十二月七日條。《朝鮮宣祖實錄》，卷五八，二十七年十二月甲辰朔己酉、壬戌、癸亥、乙丑、庚午、辛亥各條。

註八〇：《萬曆三大征考》〈倭上〉。《兩朝平攘錄》，卷四，〈日本〉，上，萬曆二十二年十二月十四日條。《明通鑑》，卷七〇，〈紀〉，七〇，同年十月丁卯條云：「詔倭使小西飛入朝，集多官面議二事：一、勅倭盡歸巢。一、既封不與貢。一、誓無犯朝鮮。倭俱聽命以聞。上復諭之于左闕，語加周複，封議遂定」。《明史紀事本末》，卷六二，〈援朝鮮〉並見此事。

註八一：《明神宗實錄》，卷二八一，萬曆二十三年正月甲戌朔乙酉條云：「兵部石星題：『關白具表乞封，上特准封爲日本國王。查隆慶間，初封順義王舊例，其頭目效順者，授以龍虎將軍等職；朵顏三衛頭目，見各受都督等官。今平秀吉既受皇上錫封，則行長諸人，即爲天朝臣子，恭候旨下，將豐臣行長、豐臣秀家、豐臣長盛。豐臣三成、豐臣吉繼、豐臣家康、豐臣輝元、豐臣秀保，各授都督僉事；小西飛間關萬里納款，仍應加賞賚，以旌其勞。其日本禪師僧玄蘇，應給衣帽等項，本部俱于京營犒賞銀內酌給』。奉旨：『如議行』」。此事並見於《國榷》，卷七七，同年同月同日條。又，《經略復國要編》，〈附後〉「小西飛稟帖」載授職及候補名單，及〈致石星書〉等。

註八二：《明神宗實錄》，卷二八四，萬曆二十三年四月癸卯朔癸亥條。

註八三：《兩朝平攘錄》，卷四，〈日本〉，上，萬曆二十三年「誥命」：同年正月二十一日條「頒敕諭」；二十三日條「敕諭」。《明神宗實錄》，卷二八一，萬曆二十三年正月甲戌朔庚辰、癸未、乙酉、丁亥、庚寅、癸卯各條。《國榷》，卷七七，同年同月庚辰、乙酉各條。

註八四：《明神宗實錄》，卷二八四，萬曆二十三年四月癸卯朔癸亥條。《國榷》，卷七七，同年正月甲戌朔庚辰、乙酉條。《朝鮮宣祖實錄》，卷六二，二十八年四月癸卯朔庚午、辛未、壬申條。同書同年同月辛未、壬申各條則詳紀持待都監等的上啓，說明李宗城無法入王京的個中情形。

註八五：《朝鮮宣祖實錄》，卷六二，二十八年四月癸卯朔己酉條。

註八六：同前註書同卷同年同月癸丑條。

註八七：同前註書卷六三，同年五月癸酉朔戊寅條所錄〈五月六日文學黃愼啓〉。

註八八：同前註書同卷同年同月壬午條所錄〈接待都監啓〉（沈惟敬秉帖）。

註八九：同前註書卷七〇，同年十二月己亥朔辛亥條所錄〈正使接伴使金睟啓〉。大森金五郎，〈文祿の役における媾和談判の一節〉（《歷史地理》，第七卷第八號）。

註九〇：《朝鮮宣祖實錄》，卷七一，二十九年正月戊辰朔庚午條所錄〈二品以上諸臣獻議〉。

註九一：同前註書同卷同年同月己丑條所錄〈行長貽書沈惟敬〉。《日鮮關係史の研究》，中，頁二〇〇。

註九二：《明通鑑》，卷七一，〈紀〉，七一，神宗萬曆二十四年四月乙亥條。《萬曆三大征考》〈倭上〉。李光濤，《萬曆二十三年封日本國王豐臣秀吉考》（臺北，中央研究院歷史語究所，民國五十六年七月）。《朝鮮宣祖實錄》，卷七四，二十九年四月丁酉朔己酉、丙午、戊申、庚戌、辛亥、癸丑、丙辰、壬戌、癸亥各條。黑田省三，〈冊封日本正使李宗城の奔還に就て——壬辰役研究の斷章——〉（《青山學叢》，第二十、二十一號）。都甲玄卿，〈文祿役釜山城の明冊封使逼走事件について〉（《朝鮮》，第一八四號）。中村榮孝，〈豐臣秀吉の日本國王冊封に關する誥命と金印について〉（《日本歷史》，第三〇〇號）、《日鮮關係史の研究》，中，頁二〇〇。

註九三：《明神宗實錄》，卷二九七，萬曆二十四年五月丁卯朔己巳條。《國榷》，卷七七，同年同月庚午條。《明通鑑》，卷七一，〈紀〉，七一，同年同月庚午條。

註九四：《明神宗實錄》，卷二九七，萬曆二十四年五月丁卯朔辛巳條。《國榷》，卷七七，同年同月同日條。

《朝鮮宣祖實錄》，卷七六，二十九年六月丁酉朔乙巳條。

註九五：黃愼，《日本往返日記》，萬曆丙申（二十四年）八月初八日、閏八月十八日條。

註九六：楊方亨攜往日本冊封豐臣秀吉爲日本國王之神宗誥命，典藏於日本大阪市立博物館。其全文請參看拙著《明·日關係史の研究》，頁五五九之註四一，或《明代中日關係研究》，頁六四九之註四一。

註九七：註九四所舉書，同年九月初二、三、四、六、七日各條。《朝鮮宣祖實錄》，卷八二，二十九年十一月癸巳朔戊戌條。

註九八：《明通鑑》，卷七一，〈紀〉，七一，萬曆二十四年九月乙未條云：「楊方亨至日本，關白怒朝鮮王子不來謝。語沈惟敬曰：『若不思二王子、三大臣、三都、八道，悉遵天朝約付還。今以卑官、微物來賀，辱小邦耶？且留石曼子兵于彼，候天朝處分，然後撤還』。于是復侵朝鮮，所進表文，謾無人臣禮」。此當係因黃愼，前舉書，同年同月初八、九日條。因加藤清正將朝鮮實情秉告豐臣秀吉，致和談失敗。此當係因清正與行長相處不好，而清正一派又未獲神宗所授之職銜，這纔讒言行長之措施以為報復。以上之論述，請參看拙著《明史日本傳正補》（臺北，文史哲出版社，民國七十年十二月），頁八〇二～八〇三。

註九九：《明神宗實錄》，卷三〇八，萬曆二十五年三月辛卯朔己酉條。《國榷》，卷七七，同年月條。

註一〇〇：《明史》〈朝鮮傳〉，萬曆二十四年九月條。《明史紀事本末》，卷六二，〈援朝鮮〉云：「（萬曆）二十五年，……二月，再議東征。時封事已壞，而楊方亨詭報去年從釜山渡海，倭於大版（阪）受封，即回和泉州。然倭責朝鮮王子不往，謝禮又微，仍留釜山如故。謝表後時不發，方亨徒手歸。至是，沈惟敬始投表文，案驗潦草。前折用豐臣圖書，不奉正朔，無人臣禮。而寬奠副總兵馬棟，報清正擁二百艘屯機張營，方亨始吐本末，委罪惟敬，并石星前後手書進呈御覽。上大怒，命逮石星、惟敬按問」。《明通鑑》，卷七一，〈紀〉，七一，神宗萬曆二十五年正月丙辰條並見此事。

註一〇一：《明神宗實錄》，卷三二一，萬曆二十五年七月庚寅朔丙辰條；卷三二七，同年十二月丁巳朔癸亥條。《國榷》，卷七七，同年七月庚寅朔丙辰條。《朝鮮宣祖實錄》，卷九〇，三十年七月庚寅朔甲午條。

註一〇二：《明神宗實錄》，卷三〇七，萬曆二十五年十二月壬戌朔丙子條；卷三二四，同年九月己丑朔壬辰、辛丑條。《國榷》，卷七七，同年二月丙子、辛丑條。《明史》〈神宗本紀〉，二，同年九月壬辰條。

註一〇三：田中健夫，《中世對外關係史》（東京，東京大學出版會，一九七五年四月），頁二三三～二三四。

註一〇四：同前註書，頁二三四。

註一〇五：參看《明・日關係史の研究》，頁一六七～一七五，或《明代中日關係研究》，頁一九〇～二〇二。

明萬曆四十五年東湧平倭始末

一、前言

中國東南沿海州縣之倭患始自元末，明太祖朱元璋即位之翌年即受到倭寇的侵擾。（註一）因此，太祖除遣人持詔赴日告以成立新王朝，促其來貢外，同時也對倭寇之侵華提出強烈的抗議。並且於洪武四年（一三七一）十二月，命靖海侯吳禎籍方國珍所部溫州、台州、慶元三府軍士，及蘭秀山無田糧之民，凡十一萬餘人，隸各衛爲軍，且禁沿海居民私自出海，（註二）此乃有關太祖實施海禁的最早紀錄。明朝當局既因倭寇跋扈才實施海禁，又使易受寇掠的濱海居民遷徙內地，而籍其丁壯編入軍衛，將之動員，以絕後患，（註三）此乃一石兩鳥的辦法。

由於太祖之加強海防設施，所以倭寇雖不時侵掠沿海州郡，但災害尙不嚴重。中國倭患之漸趨劇烈，始於嘉靖二年（一五二三）日本細川、大內兩造貢使先後至浙江寧波，因互爭眞僞而引發「寧波事件」（註四），從而明朝嚴格執行日本貢使來華之各項規定，及浙江巡撫朱紈因嚴格執行海禁，引起閩、浙大姓之勾倭與從事走私勾當者之不安忌恨而共謀排斥他，致使他失位、自殺之後。自紈死，

不僅罷巡撫大臣不復設，而且撤備弛禁。未幾，海寇大作，屠毒東南十有餘年。（註五）

明代倭寇最猖獗的時期在嘉靖三十年代至隆慶年間（一五六七～一五七二），惟在隆慶末年已大致平定。倭寇的綏靖雖與軍備的充實有關，但也是用兵進步的結果，而日本豐臣秀吉以後的禁戢海盜活動，也應有若干作用。然使海寇完全平靜的根本原因，似在於隆慶以後，准許以海澄爲對外貿易之港埠，使國人得往販東西兩洋。（註六）

此後，雖亦有倭寇，但此一時期的倭寇，其活動地點主要在現今東南亞一帶，閩、廣雖均有若干騷擾，但未造成重大災害。其間，如據史乘的記載，馬祖東沙島於萬曆間（一五七三～一六一九）曾前後三次受到倭寇的侵襲，故本文擬以此，尤其以第三次入侵爲探討之重點。

二、福建之倭患

福建之受倭寇侵掠，始於洪武三年六月，《明太祖實錄》，卷五二，洪武三年六月是月條云：

倭夷寇山東，轉掠溫、台、明州傍海之民，遂寇福建沿海郡縣。福州衛出軍捕之，獲倭船一十三艘，擒三百餘人。（註七）

《明史》〈太祖本紀〉同年月條並見此事。如據《明實錄》、《明史》的記載，此後，於五年八月二十二日寇福寧，永樂八年十月寇福州，十一年十一月十一日寇福寧、羅源、平海衛，十八年一月三十日復寇福寧；正統十四年三月十三日寇玄鍾所；正德五年八月二十五日劫掠漳州，而福建在正德（一五〇六～一五二一）以前所受倭害尚屬輕微。

福建倭患之趨於劇烈，係渠酋王直於嘉靖三十七年正月二十五日被投入浙江按察司獄，其餘黨之屯定海東方海中之柯梅（原屯舟山岑港）者，以舟趨洋南去，至泉州而與去歲侵華之倭合踪，以浯嶼爲其巢穴之後。如據《明實錄》、《明史》的記載，福建地方在世宗嘉靖以前（含嘉靖）被寇掠的地點，及其被寇掠的時間如下：

註：☆為被倭寇攻陷時間；◇為倭寇盤據地點。

1.秦嶼：☆嘉靖三十四年四月二十九日、☆七月四日。

2.大金所：☆永樂八年十一月十一日。

3.福寧：洪武五年八月二十二日；永樂十八年一月三十日；嘉靖二十七年六月二十七日；三十八年四月五日、十三日，四十年七月五日，四十一年十月五日，四十四年四月二十八日。

4.福安：☆嘉靖三十八年四月五日。

5.壽寧：☆嘉靖四十一年十一月二十九日。

6.桐山所：嘉靖三十九年二月四日。

7.政和：嘉靖四十一年十月五日，☆十一月二十九日，四十二年二月二十九日。

8.寧德：洪武六年十一月；☆嘉靖四十一年十一月二十九日，四十二年二月二十九日。

9.羅源：永樂八年十一月十一日；嘉靖三十八年四月十三日，四十二年二月二十九日。

10.丹陽：嘉靖三十五年七月二十七日。
11.古田：嘉靖三十五年九月五日，四十一年二月、十一月二十九日。
12.光澤：嘉靖四十年閏五月。
13.泰寧：☆嘉靖三十九年八月六日，四十年二月一日。
14.寧化：嘉靖四十年閏五月。
15.汀州：嘉靖四十年十一月一日。
16.沙縣：嘉靖三十九年八月六日，四十年二月一日。
17.尤溪：嘉靖四十一年二月。
18.大田：嘉靖四十一年十一月二十九日。
19.龍岩：嘉靖四十一年十一月二十九日。
20.連江：嘉靖三十八年四月十三日，四十一年十一月，四十二年二月二十九日。
21.福州：永樂八年十月；嘉靖三十七年四月四日，三十八年四月五日、十三日、九月十六日，四十年十一月一日。
22.閩清：嘉靖四十年二月一日。
23.長樂：嘉靖三十八年四月五日、十一月十日，四十二年二月九日。
24.梅花洋：嘉靖三十八年四月五日、十一月十日，四十二年二月二十九日。

25.鎮東衛：嘉靖三十四年十一月四日。
26.閩縣：嘉靖三十八年四月十三日。
27.永福：☆嘉靖三十八年五月十一日。
28.福清：嘉靖三十四年十一月二十九日，三十七年四月四日，☆四月十九日、☆六月二十日，三十八年四月五日、九月十六日、十一月十日，四十一年十月五日、十一月二十九日，四十二年二月二十九日、三月三日。
29.興化（莆田）：嘉靖三十四年十一月四日、二十九日，三十七年四月四日、六月二十日，三十八年四月五日、九月十六日，十年十一月一日，☆四十一年十一月二十九日，☆四十二年二月二十八日。
30.南日水寨：嘉靖三十二年十月二十四日，三十三年三月十三日。
31.平海衛：永樂八年十一月十一日；☆嘉靖四十二年二月二十六日、四月十三日。
32.仙遊：嘉靖四十三年二月十五日。
33.惠安：嘉靖三十七年四月二十六日，三十八年九月十六日，四十一年二月。
34.崇武所：☆嘉靖三十九年五月二十九日。
35.南安：嘉靖三十七年五月一日、☆六月二十日，四十一年二月。
36.泉州：☆嘉靖三十七年四月四日、六月二十日，三十八年四月五日、九月十六日，四十年十一月一日。

37.永寧衛：☆嘉靖四十一年二月八日。

38.浯嶼：嘉靖三十六年、十一月，◇三十八年四月五日。

39.同安：嘉靖三十八年九月十六日，四十一年二月，四十三年二月十五日。

40.漳州：正德五年八月二十五日；嘉靖三十七年六月二十日，三十八年四月五日、九月十六日，四十年十一月一日，四十六年。

41.南靖：☆嘉靖四十年十一月一日。

42.平和：嘉靖三十九年五月二十九日。

43.漳浦：嘉靖三十八年二月十八日、四月五日，四十三年二月十五日，四十六年。

44.古雷巡檢司：正德四年三月二日。

45.詔安：☆嘉靖三十五年十月，三十八年二月十八日、四月五日，三十九年五月二十九日，四十年七月五日。

46.玄鍾所：正統十四年三月十三日；嘉靖四十一年十一九日，四十二年二月十三日。

由上舉紀錄可知，福建地方的倭患主要發生在嘉靖三十七年以後，亦即王直被誘捕而其餘黨屯聚浯嶼之後。其間，曾於嘉靖四十一年十一月二十九日及四十二年二月八日，前後兩次攻陷興化府，蔓延及於龍岩、松溪、大田、古田、莆田之境無非賊者。如據《明實錄》、《明史》等官方文獻，隆慶年間（一五六七～一五七二）及萬曆（一五七三～一六二七）初未受騷擾，直至萬曆八年方纔又受其侵掠，此事容於後文論述。

三、萬曆年間的日本國情

十五世紀六十年代以後約一百年間，乃屬日本的戰國時代（一四六七～一五六八）。誠如三浦圭一所說，當時的日本幾乎全國都陷於戰亂之中。就以某一特定的地區之某一時期而言，其生產的停滯，及其產品的流通之受到阻礙，生活遭受破壞，固爲無法否認之事，但它在日本史上並非一個「黑暗的時代」，乃是「下層人民發達」的時代，「新機運之正回轉於腳下」的時代。（註八）

從室町（一三三六～一五七三）末期至戰國時代，在日本國內急速發展的小農自立化的傾向本身，便使其農村有從事集約農耕的可能性，使其農業生產力向上。（註九）如借奈良本辰也的話，來說明當時的日本農業之所以能夠進步的原因，那就是小農的自立，與彼邦農民之以集約方式耕種，這使其農業在十六世紀有長足進步。但其理由並不侷限於此，各據一地的大名（註一〇）之獎勵生產，亦必與此有關。（註一一）

在農村發展之同時，都市也有顯著進步。各戰國大名（註一二）無不盡力使其城堡周圍的城市發達，減免地租與各種徭役，獎勵商賈定居於環繞城堡之都市——城下町。尤其乘新時代之潮流進出中央的織田信長（註一三），他不允許中世的權威（註一四）存在，所以不僅廢除各地關卡，而且使商人可以自由從事各種買賣，使貨暢其流。更有進者，在其統一日本全國的過程中，曾留意各地交通，並聽從商業資本之要求。（註一五）而其全國各地關卡的完全裁撤，係在信長死（一五八二）後，由豐臣秀吉完成。（註一六）

關卡廢除後，其原不隸屬於任何同業公會——「座」的商人，亦即無免關稅之特權的新興商人，便能自由前往全國各地經商，對當時的商品流通有莫大裨益。因此，當時其輸出貨物必較前豐富，較容易輸出，而進口的物貨，也必因而更容易流通各地。（註一七）

採取促進商品之流通擴大的織田信長在其進入京都的第二年（明隆慶三年，日本永祿十二年，一五六九）三月，發布鑄錢令，規定交易時的通貨之標準。其內容爲：宣德通寶，下等舊錢與「燒錢」值好錢的二分之一，惠明，有大缺及破損、磨損者，值好錢的五分之一，敲平者及南京錢值好錢的十分之一，並各予貼補，使其流通，以謀通貨之安定。（註一八）在這種情況下，日本的都市逐漸發達。復由於日本國內商業之發展，其成爲貿易之主要航路的瀨戶內海東西兩端之衝要的堺（大阪府）與博多（福岡縣），尤其前者呈現非常的繁榮。而當時中國、葡萄牙船隻所到之九州、近畿的各港埠，自有相當之發展。

萬曆十年（天正十年，一五八二）六月二日，織田信長在京都四條本能寺爲其部將明智光秀所襲擊而自殺——本能寺之變以後，其遺業由豐臣秀吉來推行。秀吉強行兵農分離政策，（註一九）並丈量全國土地——太閤檢地，將農民繫於各該土地上，使他們無法離開自己耕地，（註二〇）更將農民、僧侶私藏的刀劍全部徵收——刀狩令。(註二一)於是當時的日本便朝向確立純粹封建制的路上走，而對其人民的行爲加以種種限制。

豐臣秀吉除實施上舉各種政策外，也還下令金、銀礦歸公，由他自己來掌握。如絕對主義國家之君主所爲似的，他將此金、銀投資於海外貿易，曾經數次以大量銀子來蒐購絲綿——蠶絲。(註二二)亦即在萬曆十七年(天正十七年，一五八九)使出身堺的富商，而侍其左右的小西隆佐以銀約二萬貫來購買絲綿九萬斤，繼則命薩摩(鹿兒島縣)的諸侯島津義弘從駛入薩摩國港埠的外國船隻購買相當於銀子二萬枚的絲綿。(註二三)

前此，豐臣秀吉隨其統一國內事業之進展，乃將其眼光朝向海外，謀求併呑亞洲各地之策。他除有意顯其「佳名」於中、日、朝三國之求功名之心外，其最基本的目的在擴張領土，及欲謀發展對外貿易。因此，他在萬曆十五年征討九州島津氏之同時，對侵略朝鮮作具體準備。(註二四)當時，他重視在大內氏控制下而因對明貿易繁榮起來的博多，而欲以此爲對明貿易之轉口港，(註二五)故於分配九州之徵收田租權時，便以「博多乃大唐(明)、南蠻(東南亞一帶)、高麗(朝鮮)各國船隻泊岸之所在，爲殿下(秀吉)之所屬」(註二六)而免其地租。(註二七)誠如三鬼清一郎所說，秀吉之所以如此，實有欲使博多成爲商埠而促其繁榮之意圖在。(註二八)三鬼復認爲其由肥前(長崎縣)九州諸侯大村純忠(註二九)捐贈教會而事實上成爲天主教之領土的長崎，秀吉曾於萬曆十六年將它歸公成爲大名託管地而下令免其地租，並指示促進外國船隻——黑船(註三〇)入港。四年後，以寺

澤廣高爲長崎奉行（職稱），並以當地勢豪村山等安爲代官（註三一），使其職司民政與對外貿易。（註三二）

豐臣秀吉之採取這種措施，乃是他重視海外貿易的表現。此事可由他雖於萬曆十五年六月十九日發布驅逐傳教士之令，並言基督教（天主教）爲邪法，應予禁止，卻又言：「外國船隻之來日乃爲貿易，事出特殊，故應長久買賣。」（註三三）之史實瞭解個中情形，同時也可從其釐訂朱印船貿易制度（註三四）事獲得佐證。所以他之盡力協助紙屋宗湛復興博多的理由亦在此。（註三五）

日本人在隆慶年間（一五六七～一五七二）後半及萬曆（一五七三～一六一九）初（日本元龜、天正頃）的對明貿易，可能因明朝掃蕩倭寇的工作奏效，在中國沿海與華人的貿易困難，此事對正在日本找尋新市場的葡萄牙人而言，應爲絕好良機。於是他們取代前此掌握東海貿易權的倭寇勢力，以明、日兩國貿易之掮客姿態上場。（註三六）葡萄牙人在此一時期已將澳門納入其手中，並以此爲貿易據點，將於廣東市場蒐購之最有利於輸出日本之絲綿、絲織品運到這裏，然後以其本國之船運往日本販賣，而在明、日兩國商人之間從事居間貿易。（註三七）

如據箭內健次等人的研究，當時九州的各大名之基本方針爲富國強兵，故其領土臨海的大名，當然以振興貿易爲其重要政策。因此，就這點而言，大陸貿易的消長乃爲他們所關切。與明貿易式微後，日本當然要以葡萄牙來取代明的位子，所以對葡萄牙的倚賴程度提高，從而渴望其船隻到自己境內來。因葡萄牙船裝運的中國產絲綿、絲織品，及硝石、鉛等軍用品，乃日本商人所渴望的物資，故該國船隻之泊於自己管轄之港埠，乃是他們共同的願望。（註三八）至於葡萄牙船往販日本的情形已爲衆所周知，故不贅言。

明朝當局曾於隆慶元年（一五六七）聽從右僉都御史塗澤民的建議，開放漳州海澄爲對外貿易之港埠，使國人得往販東西兩洋，惟仍禁往日本互市。雖然如此，明人之往市日本，卻較往日自由而其船隻頻泊日本各地。

自開放海澄後，海澄縣番商李福等連名呈稱：

本縣僻處海濱，田受鹹水，多荒少熟，民業全在舟販，賦役俯仰是資。往年海禁嚴絕，人民倡亂。幸蒙院道題請，建縣通商，數十年來，餉足民安。（註三九）

而表示其謝意。漳州府海防同知王應乾的呈稱則云：

漳屬龍溪、海澄二縣，地臨濱海，半係斥鹵之區，多賴海市爲業。先年官司慮其勾引，曾一禁之，民靡所措，漸生邪謀，貽禍地方。迨隆慶年間，奉軍門塗右僉都御史議開禁例，題准通行，許販東西諸番。惟日本倭奴，素爲中國患者，仍舊禁絕。二十餘載，民生安樂。歲征稅餉二萬有奇，漳南兵食，藉以充裕。（註四〇）

而謳歌因舒緩海禁而沿海地方得過太平日子。巡按福建監察御史陳子貞亦云：

東南濱海之地，以販海爲生，其來已久，而閩爲甚。閩之福、興、泉、漳，襟山帶海，田不足耕，非市舶無以助衣食。其民恬波濤而輕生死，亦其習使然，而漳爲甚。先是，海禁未通，民

業私販，吳越之豪，淵藪卵翼，橫行諸夷，積有歲月。海波漸動，當事者嘗爲厲禁。然急之而盜興，盜興而倭入。（註四一）

然自開兩洋後，「幾三十歲，幸大盜不作，而海宇晏如。」（註四二）所以海寇肆虐的原因實存在於中國內部，（註四三）此事亦可從日本自其元龜（一五七〇～一五七三）、天正（一五七三～一五九二）以後，因其國內統一而彼等商船之直接與中國通商之已斷絕事，獲得佐證。

在上述情形下，日本商人除在其本國的各港埠與明人交易外，也將琉球作其買賣場所。（註四四）因他們與葡萄牙人通商，故日本商人當充分獲其所需要的，所以他們不必像往日似的，爲獲其所需之中國物貨而干犯明朝海禁。

又，此一時期朝鮮的李氏王朝已過其極盛期，故對朝鮮貿易的利潤減少，所以日本人除與中國人、葡萄牙人交易外，以南海貿易爲有利。豐臣秀吉乃發行朱印狀（註四五），此乃渡航證明。日本當局既對往販海外者發給渡航證明，即意味著禁止一般民衆任意出海。事實上，豐臣秀吉曾命其西陲大名嚴禁海賊活動，以爲發展海外之保障。（註四六）在這種情勢下，肆虐中國沿海郡縣的倭寇便逐漸平靜，而不再有如昔日那種重大災害。因此，倭寇的屏息，除明朝當局的討伐外，應與日本當時的國情有關。

豐臣秀吉死（一五九八）後，經關原之戰（註四七），德川家康於一六〇三年（萬曆三十一年，慶長八年）在江戶建立幕府——德川幕府（亦稱江戶幕府）。德川家康推行其外交的中心課題是：要將嘉靖二十八年以後，因日本獨佔對明貿易之利的大內義隆，被其部將陶晴賢所襲擊而自殺（一五五一），致該氏沒落而中斷的貢船貿易加以恢復，並擬在日本周圍建立開放的國際關係。所以他對於貿易比豐臣秀吉更爲熱心，此事可以福建商人周性如於萬曆三十八年抵肥前國（長崎縣）五島列島之際，不僅召見周性如，且給與朱印狀，俾使其能夠自由前往日本貿易；更託他將使大儒林羅山所書信函帶交福建總督之事實獲得佐證。由於當時的對日貿易仍爲明廷所禁止，故周性如似未將該尺牘交與本國官員。結果，德川家康擬與明朝恢復貿易的計畫落空。雖然如此，卻可由此得知，已經統一的日本在此一時期，其子民已不能像過去之任意出海而受到限制，其海盜行爲也因豐臣秀吉及在那以後的當政者之下令而斂跡，故其航行海外者應爲商賈。

四、東湧的倭患

前文已說，福建於萬曆八年復受倭寇侵掠，被寇掠地點是東湧（東沙）島。《明史》〈日本傳〉本年條雖云：

（倭）犯浙江韭山及福建澎湖、東湧。

卻未言其肆孽，及當地居民被害情形，而《福州府志》、《長樂縣志》、《羅源縣志》、《連江縣志》等亦無相關記載。談遷《國榷》，卷七一，同年五月己巳朔己卯條則僅言：

飭兩廣總督劉堯誨，浙江福建巡撫吳善言、耿定向，各督將士，剿海上餘倭。

而已。由於他書無相關記載，所以談氏所言餘倭之是否即爲寇掠東湧者，實難斷定。

兩年後的十年八月二十三日，倭寇又出沒東湧、澎湖一帶，《明神宗實錄》，卷一二七，同年八月丙戌朔戊申條云：

兵部覆巡撫勞堪題：「倭寇一自北洋，一自廣海突入，意在窺犯興化、漳南地方。又有夥船出沒東湧、澎湖，欲圖聯勢劫掠，實係內地奸徒勾引。各官兵奮勇撲剿，兩戰皆勝，共擒斬倭賊三十餘人，奪回被虜六十餘人。乞將劾（核）勞被傷官軍，分別賞卹，及將倭賊梟示。

《明史》〈神宗本紀〉，一，及〈日本傳〉並見此事。此乃現今馬祖列島被倭寇騷擾的兩則紀錄，然俱未言其被害情形。《國榷》同年同月同日條雖亦有倭寇入犯福建之記載，但那是指寇掠興化、漳南者，與東湧無關。

其後，東湧又傳倭患。《明史》，卷二七〇，〈沈有容傳〉同年條云：

〔萬曆〕四十四年，倭犯福建。巡撫黃承元(玄)請特設水師，起〔沈〕有容統之，擒倭東沙。

《國榷》，卷八三，萬曆四十五年五月甲子朔癸酉條則云：

福建東沙洋飄倭船三艘，凡二百餘人，登山。參將沈有容攻之。明日，大舟一，漁舟二，外至，擊沉之。縛倭三十三人，餘所獲流倭不一。

而將沈有容討伐東沙倭之事繫於四十五年。上舉《明史》與《國榷》兩書所記載者不僅在時間上有一年的差異，而且文字過於簡略，無法使人瞭解此一事件的始末。幸虧《明神宗實錄》，卷五六〇，萬曆四十五年八月癸巳朔條有如下之記載云：

巡按福建監察御史李凌雲奏稱：「本年四月十九日，有台山遊兵船一隻，送回董伯起，隨官兵阻于黃岐。海道副使韓仲雍，馳至小埕，召倭目明石道友，通事高子美等譯審之。其長岐（崎）一島，被名爲肥前州，島酋村山等安，我呼爲桃員者，近受武藏總攝之命，監主市易交關唐人者也。明石道友乃其領倭出販渠率，而正木矢次衛門，實等安親隨典計之僕，其一人柴田勝左衛門，則船中頭目也。因問其何故侵擾雞籠、淡水？何故謀據北港？何故擅掠內地？與挾去伯起，復送還伯起，及侵奪琉球等事，俱以甘言對。道臣因諭以所經浙境，乃天朝之首藩也。迤南而爲台山，爲礵山，爲東湧，爲島坵，爲澎湖，皆我閫門庭之內，豈容汝涉一跡。此外溟渤，華夷所共，窮兵芟薙，漢過不先。但汝爲飄風所引，暫時依泊，不許無故登峰，或爲曠日所誤。望山取汲，不許作意淹留」。

此言前此萬曆四十四年，由肥前國代官村山等安所遣明石道友一行，在前往海外貿易之際，因風飄至浙江海域，爲台山巡遊兵船官兵阻於黃岐，而海道副使韓仲雍，經由通事高子美譯審倭酋明石道友的經過。文中所提董伯起爲福建巡撫所遣刺探倭情者，他究竟於何時何地爲日方所俘，因筆者身邊資料有限，尚難探究其詳情，故此事容於日後再作考察。

海防官員除責備他們前此無故侵擾中國疆域外，復令其查實先前侵犯金門海域及大金所者，如係日本商人，則戮之國中；如係華人，則差人縛送於中國，以表效貢。（註四八）李凌雲繼上舉之言後又舉上年琉球哨報豐臣秀吉即將入寇之消息，與胡惟庸勾倭謀叛，以及寧波事件和渠魁王直率倭衆頻年入寇之事實以責之。且繼前舉奏言之後謂：

汝若戀住東番，則我寸板不許下海，寸絲難以過番，兵交之利鈍未分，市販之得喪可睹矣。明石道友等各指天拱手，連稱不敢。道臣隨差官押送定海所去，該撫臣黃承玄，看得閩海多事，正在戒嚴，乃有倭目送歸挾虜之報，其言頗甘，其來亦似乎有名。惟是狡夷變詐原自難測，無論表文書詞，種種舛謬，且大金、料羅之氛未遠，而款關效順之使突然，果可遽信其輸誠乎？計惟量爲撫卹，以昭綏懷之仁，仍即謝遣以杜窺伺之隙，在彼爲誠爲僞，不足深較，在我保疆固圉（圉），自難暫弛也。

而認爲明石道友等人之居心難測，且他們侵犯大金所、料羅之殷鑑不遠，輸誠之事未可盡信，所以保疆固圉，自難暫弛。

如據中國史乘的記載，萬曆四十四年侵掠中國東南沿海的倭寇由肥前國(長崎縣)代官村山等安之子秋安所率領，(註四九)他們一行共有十餘艘船，惟至中國海域時，非但爲浙江水師所圍攻，且因遇大風，致其船隊飄散。其進入福建近海的兩艘，由明石道友率領，進泊東湧島。後將所擄董伯起送回。村山等安因其子秋安久出未歸，乃遣桃煙門率船隊去尋找，而此桃煙門即入侵東沙之渠魁云。

《明神宗實錄》，卷五六〇，萬曆四十五年八月癸巳朔丙申條，記錄個中情形曰：

巡撫福建右副都御史黃承玄疏奏倭夷奉書歸擄一事，言：「往者〔德川〕家康匪茹，狡焉有窺我南鄙之心。而長岐（崎）之酋等安，即桃員者，以他事得罪。家康之滅之也，乃力請取東番以自贖，是以去夏有東湧之警，而等安次子實來，會我汎事戒嚴，弗克逞心于我，播越離遏，不知所止。等安乃復繕舟厲兵，索其子于我境上，是以去年有大金之入，至今日之局，又稍變矣。家康物故，其子代之，欲有事于東番，而國人未附，且恐中國之議其後也。於是內逆外順，乍翕乍張，此方搖尾欸（款）關，彼復張牙肆毒，即謂先後合謀。或不必然，要其出于一島之人，則彼已直任無辭者，又安得盡信夷使之口，而終保其無他哉！惟是鱗介異類，毋足深求。今于其伺我疆埸者，擒而芟之，使知吾天威之嚴；於其就我戎索者，姑卹而遣之，使知吾皇仁之大。至於通好之說，斷不可稍假借以開異日無窮之端也。

此乃黃承玄疏報桃煙門抵華尋找秋安等人，與明軍發生衝突，致大金所被搗毀，及中、日兩方在料羅灣發生戰鬥的經緯。德川家康歿於萬曆四十四年，即日本元和二年（一六一六），故承玄所言與事實相符。至於「其子（秀忠）代之，欲有事于東番，而國人未附，且恐中國之議其後也。」云云，則似與事實有出入。因爲：秀忠雖於萬曆三十三年當幕府第二任將軍，但大權仍爲乃父所掌握；而家康之去世，則在他消滅豐臣秀吉之子秀賴之翌年，正在鞏固幕府根基之際，故尙無餘力謀求向外發展。而文末所言：「至於通好之說，斷不可稍假借以開異日無窮之端也」，則爲此一時期之文武官員對日本所常用之言辭，乃恐因聽從其通好之要求而衍生日後無謂之紛擾者。

五、東湧平倭始末

桃煙門等雖爲尋找村山秋安等人而與明軍發生衝突，但事後他們不敢回去而「住泊五島」。五島在肥前南端，距現今長崎頗近。萬曆四十五年四月，他們又至中國海域，復與明軍發生戰鬥。董應舉〈中丞黃公倭功始末〉記述他們在華肆虐的情形云：

未幾，倭首桃煙門者犯浙，破浙兵一兵船，殺兵十八名，擄捕盜餘(逾)千及兵目十名。至閩，又擄漁船鄭居等二十餘人。（註五〇）

巡撫福建右副都御史黃承玄雖言：桃煙門將擄獲的福建漁船編入船隊，然後在同年五月，以「約二百餘人，坐駕三船與小華三隻，日在洋行駛，專圖劫掠」，卻於進入福建海域以後，爲福寧州水師把總何承亮所追擊。然在倉惶逃竄中，竟遇到颶風，致其三艘大船都在東沙島觸礁擱淺。在這種情形下，他們遂將器械、衣糧都搬至山上，搭寮安頓；復捻修小華，豎旗招船。（註五一）

當倭人在東湧觸礁受困之際，黃承玄乃命參將沈有容負責討伐，並調集各路水師前往東沙應援。黃承玄《盟鷗堂集》〈擒倭報捷疏〉云：

該沈〔有容〕於當晚稟辭，本院面授方略。即督中軍官徐亮，左翼把總趙若思，及標下聽用總哨各官，部勒船兵，躬冒風濤，以次日到洋。

亦即沈有容於接到命令後，當晚向其長官黃承玄辭行。辭行之際，承玄曾面授機宜，以求全勝。有容於聽完承玄方略後，便親自統率水師官兵連夜動身，於次日到達目的地。當時雖有人主張登陸殲寇，但有容卻堅持圍而不攻，只用大砲轟擊。關於其間過程，《明神宗實錄》有如下之簡短記載云：

巡撫福建右副都御史黃承玄復奏：「五月十一日，東沙外洋報有倭船三隻爲風所破；倭賊二百餘人棲泊本山，修華劫搶。巡海道韓仲雍，同兵備道卜履吉，參將沈有容，行北、中、南三路，及伍防館，合勢仰攻。（註五二）

如據董應舉的論述，則沈有容之所以不欲登陸作戰而採包圍方式，「止用新造佛狼（郎）機及神飛大炮等器，合勢仰攻，燔其寮舍，盡其積聚」的理由在於：

若當時上山與戰，倭藏礁石間，以實擊虛，三千兵不夠其殺，反與之搶船之便矣。（註五三）

亦即有容鑒於倭人擅長陸戰，短於水鬥，官軍反之，所以他才不許其部下近岸，輕率的與敵人格鬥。在水師合圍下，倭人亦不敢貿然下華乘間逃遁。

衆所周知，五月以後的閩海區域已進入颱風季節，所以對明軍而言，以持久戰方式圍攻倭人，未必能夠穩操勝券。因爲萬一颱風來襲，聚集在海洋的明軍船艦，也可能會蒙受重大損失。若然，則在敵人未消滅之前，自己已先倒下了。爲避免這種災害，自非另謀策略不可。

沈參將復計困獸在阱，爪牙毒猛；專用力拘，未免兩傷。縱能近令自斃漂沉，難撈功級。隨用通倭語把總王居華，及倭來通事林高子美、雙齊門等，賫執該參令牌，登山曉諭以：「汝輩命在須臾，若未有犯唐（明）罪過，分剖明白，或尚可覬一線之生路」。（註五四）

當倭衆聽到勸降的話語後，正在猶豫不決之際，十六日上午又有三艘大、小船隻駛來。他們係爲接濟被明廷水師所困倭人之同夥。有容發現敵人之同夥後，即指揮麾下官兵奮力衝攻。黃承玄疏報當時平倭之情形云：

十六〔日〕早，遙見大烏船一隻，小漁船二隻從遠洋來，是伊同宗倭賊前來接濟者。我兵奮擊，二船立沉，倭賊投溺就縛。水標所部解獻生倭大頭目三名，衆倭三十名；總旗標下所部解生倭一十二名；巡福寧道（註五五）標下所部獻生倭二十二名；各獲盔甲、刀銃、倭器充斥，復救回被虜漁民二十二人，則獲罪我閩之定案也。及台州東西機捕盗余（餘）千，軍民兵十一名。因稱原三船中一大烏船，即殺伊兵十八人，重傷放去各七人，而脅駕以來者，則獲罪彼浙之確證也。又分巡福寧道右布政使黃琮報，把總何承（一作宗）亮，追倭極東外洋，圍襲倭船一隻，撈斬二級，擒俘二十二名，救獲被虜四名，見獲桃煙門等六十七名，皆長島倭也。（註五六）

如據黃承玄之言，則這批倭人是在經過一場戰鬥後，終爲沈有容等人所俘，而明朝水師所獲戰利品甚多。其獲此輝煌戰果的原因，及帷幄運籌，殺敵致果的功臣則爲：

鎮臣提衡於外，道臣運策於中，司府館州諸臣協贊其謀，路標寨遊將領畢效其力。至于損（捐）資募士，選銳衝鋒，則署分巡道之勞績，獨先設謀制勝，料敵出奇，則水標參將之全功最著。（註五七）

亦即黃承玄認爲：此一戰役的致勝原因，除各將領之各盡其力外，應首推沈有容事前謀畫的周全。

如據上舉黃承玄的疏報，則這批倭寇最後是被俘的，惟當我們披閱董應舉所撰〈中丞黃公倭功始末〉時，事情的經過便有若干出入。因為前此萬曆四十四年，倭曾要求村山等安遣其子秋安謀犯雞籠、淡水而屢失利，不敢歸島，故乃復遣桃煙門等覓之，隨以未獲，住泊五島。至今（四十五）年四月，復駕船至浙江台州地方，並順利來到福建，而為福建水標參將沈有容所接見。由於有容以客禮相對待，所以頗能贏得倭人的心。結果，當中、日兩方即將爆發激戰之際，有容對待他們的態度竟發生了作用。董應舉紀錄沈有容誘降倭人的始末云：

〔有容〕乃遣王居華上〔東〕沙，與〔桃煙門〕語。居華慣通番語，與〔董〕伯起同送歸者也；言明石道友已受撫。桃煙門心動，曰：「有道友書來，即從」。沈即遣居華取道友書；書到，乃降。沈公令倭先束刀銃，乃許上舟；沈公分倭與各船為功，自解逃煙門等二十八名並二級歸報軍門。（註五八）

如果董應舉的紀錄屬實，則其言與黃承玄疏報的內容有很大的出入，亦即前文所言某某在某處海洋殺傷或捕獲倭人若干，某某在某處海洋獲怎樣的戰果云云，無非是黃承玄所揑造，事實上那是將整體投降的倭衆分配給各將領，以彰其功者。黃承玄與董應舉的說法雖有出入，但對整個事件的結局並無影響，只突顯黃承玄愛護部屬，將集體投降之倭人疏報為殺散捕獲，以彰顯其部下及他自己之功而已。此與前此嘉靖三十年代，工部右侍郎趙文華至江南祭海並督察軍情時，因搶功不成而先後誣陷都御史曹邦輔，蘇松巡撫董邦政等人的狹窄心胸較之，實不可同日而語。

如據徐曉望的研究，董應舉是明朝名宦，他與沈有容的交往，已到推心置腹的地步，（註五九）他們兩人的感情既然如此深厚，則當無貶抑好友戰功之理。所以董應舉在其〈中丞黃公倭功始末〉的文字，應是根據事實書寫者。

當此一事件過後不久，在事情發生的當地豎立了一座紀功碑，紀述沈有容平倭的偉大功績，由董應舉題字其上，以資後人追懷。其字云：

萬曆彊梧大荒落，地臘後挾日，宣州沈君有容，獲生倭六十九名於東沙之上，不傷一卒。閩人董應舉題此。

「萬曆彊梧大荒落，地臘後挾日」，就是萬曆四十五年五月十五日，意即沈有容於這一天在東沙生俘倭人六十九人，而未傷一卒。（註六〇）

六、結　語

黃承玄或許為自己與屬下爭取更大榮譽，將誘捕倭寇，使其整隊投降之事疏報為在戰鬥中殺、俘倭寇，至被指為冒功而未能獲得應有之獎賞。如據前文所說萬曆年間的日本國情，及巡按福建監察御史李凌雲奏言中有：「島酋村山等安，我呼為桃員者，近受武藏總攝之命，監主市易交關唐人者也。明石道友乃其領倭出販渠率……」觀之，則應如當時職官所認定，那些倭人是商賈而非眞正海盜，否則當他們至福建時，沈有容也就不會以禮對待他們了。

至於他們之攜有武器，此種情形在歐洲亦有。而他們船中之有各種刀劍、武器，如從有明一代的中日貿易觀之，除絲綿、絲織品、硝黃外，刀劍、武器亦爲當時的重要貨物，故不能據此即認定其爲寇盜。又，他們之所以到處與明軍作對，則可能與雙方之誤解或溝通不良有關。雖然如此，筆者絕無意否定或爲那些日本人侵掠中國海域的不當行爲辯護，乃就當時之日本國情與東亞世界變動的情形作一論述而已。

又，近日雖有人對沈有容平倭的地點非大埔石刻所在地的說法，但除非經多人論證而其說已成定論，則仍以採舊說爲宜。

【註釋】

註一：《明史》（臺北，鼎文書局，點校本），卷二，〈太祖本紀〉二，洪武二年春正月是月條云：「倭寇山東濱海郡縣」。

註二：《明史》，卷九一，〈兵〉，三，「海防」條。谷應泰，《明史紀事本末》（北京，中華書局本），卷五五，〈沿海倭亂〉，同年條。

註三：《明太祖實錄》（臺北，中央研究院歷史語言研究所，影印本），卷一八二，洪武二十年五月庚戌朔丁亥條云：「寧波府昌國縣，徙其民爲寧波衛卒。以昌國瀕海，民嘗從倭爲寇，故從之」。同書卷二二三，洪武二十五年十二月丁未朔甲子條則云：「廣東都指揮使花茂奏：『東莞、香山等縣，大溪山、橫琴山逋逃蜑戶、蕃人，凡一千餘戶，附居海島，不習耕稼，止以操舟爲業。會官軍則稱捕魚，遇番賊則同爲寇盜。隔絕海洋，殊難管轄。其守禦官軍，冒山嵐海瘴，多疾疫而死。請徙其人爲兵，庶革前患』」。

註　四：有關寧波事件的始末，請參看拙著《明代中日關係研究》（臺北，文史哲出版社，民國七十四年三月），頁三三四～三四八。

註　五：《明史》，卷二〇五，〈朱紈傳〉。

註　六：請參看後引許孚遠，《敬和堂集》（明崇禎刊本，《明經世文編》本），卷五，〈疏通海禁疏〉。

註　七：國家圖書館舊藏本，在「三百餘人」之後有「送至京師，上命斬之」八字。

註　八：三浦圭一，〈戰國期の交易と交通〉，收錄於《岩波講座日本歷史》，八，中世，四（東京，岩波書店，一九七六年十月）。

註　九：奈良本辰也，〈近世史概說〉，收錄於《岩波講座日本歷史》，九，近世，一（東京，岩波書店，一九六三年九月）。

註一〇：大名，早期指經營、耕作大規模之名田（冠上開墾者之名的田）者或指大名主（擁有名田者叫做名主）而言。在鎌倉時代則指擁有土地，有衆多部下，且有威勢之武士。從南北朝時代開始逐漸強大起來的守護（職稱）稱守護大名。戰國時代則把將那些守護大名打倒，終於取代他們而在當地鞏固其堅強統治體制的新興豪族（戰國大名），也稱爲大名。但如果只說大名，則指江戶時代之大名而言。江戶時代的大名，領有年收一萬石以上之租穀的土地，而對幕府將軍負有聽從各種差遣的義務。

註一一：同註九。

註一二：戰國大名，日本戰國時代，在全國各地割據的大領主，以土豪階級等爲其家臣，並加強對其農民之直接統制。同時也制訂分國法（家法），建設以其城堡爲中心的都市——城下町，並調查土地、戶口，開墾新田，疏濬溝渠，保護並統制工商業，整備驛站等，以加強其領國實力。

註一三：織田信長（一五三四～一五八二），日本戰國大名。在群雄割據時代，先後擊敗各地武將，於即將完成統一全國之際，在京都本能寺爲其家臣明智光秀所襲擊而自盡；其志業爲其部將豐臣秀吉所繼承。

註一四：在日本中世時代造成的種種特權，例如：在自己領土內設關卡徵收通關稅，或貴族、寺院用其財勢來組織「座」——同業公會，以壟斷某種行業等。

註一五：同註九。

註一六：《秀吉事記》（續群書類從本）天正十三年條云：「自公卿、武士至一般商人，均停徵各種稅收，並廢除座」。

註一七：鄭樑生，《明代中日關係研究》，頁五一四。

註一八：《天王寺文書》。

註一九：《大日本古文書》，家わけ第十一，〈小早川家文書〉。請參看藤木久志，〈統一政權の成立〉，收錄於《岩波講座日本歷史》，九，近世，一（東京，岩波書店，一九七五年七月）。

註二〇：《大日本古文書》，家わけ第二，〈淺野家文書〉所錄豐臣秀吉朱印狀。

註二一：同註一九。

註二二：同註九。

註二三：奈良本辰也，註九〈概說〉所引《御朱印貿易史の研究》。參看川島元次郎，《朱印船貿易史》（東京，內外出版株式會社，大正十年十月）。

註二四：參看鄭樑生，《明代中日關係研究》，頁五五六～五七八。

註二五：三鬼清一郎，〈太閤檢地と朝鮮出兵〉，收錄於《岩波講座日本歷史》，九，近世，（東京，岩波書店，一九七五年七月）。

註二六：《本願寺文書》，二，その他。

註二七：《毛利家文書》，三，一一一四。

註二八：同註二五。

註二九：大村純忠（一五三三～一五八七），日本戰國大名。日本最初的基督徒大名。有馬清純之次子。教名Barutoromeyo。一五三八年爲大村純前之養子，繼承其家業。二十五年後受洗。又七年，開長崎爲對外貿易之港埠，然後以南蠻（今東南亞一帶）貿易爲中心，推動其外交政策。明萬曆十年（天正十年，一五八二），與大友、有馬等大名共同派遣使節至羅馬。五年後，其領土爲豐臣秀吉所承認。

註三〇：黑船，日本人在其近世初期，稱來自東南亞的船隻，或西式外國船隻爲黑船，但主要指於其幕府末年至日本的歐美列強之軍艦而言。尤其由美國使節培里（Perry Matthew Calbraith）於一八五三年率領至日本的艦隊，給日本國民造成很大的威脅。此後，黑船便成為象徵資本主義列強給日本的壓力。

註三一：日本中古時候，代理主人處理事務者的總稱。如：守護的代官稱「守護代」。在戰國時代，則以實際從事地方行政者稱為「代官」。安土桃山時代則以從事徵收、繳納田賦者名之。

註三二：同註二五。

註三三：《松浦家文書》〈平戶松浦家資料〉。

註三四：《長崎實錄大成》，一二，〈從日本異國渡海之部〉「異國渡海御免之事」。

註三五：同註九。

註三六：箭內健次、旗田巍、今井林太郎，〈貿易と海外進出〉，收錄於《圖說日本の歷史》，九，天下一統（東京，集英社，昭和五十年六月）。

註三七：同前註。

註三八：同前註。

註三九：許孚遠，《敬和堂集》（明崇禎刊本，明經世文編本），卷五，〈疏通海禁疏〉。

註四〇：同前註。

註四一：同前註。

註四二：同前註。

註四三：參看陳抗生，〈嘉靖倭患探實〉。

註四四：參看鄭樑生，《明代中日關係研究》，頁二二八。

註四五：朱印狀，亦稱朱印。捺有朱印的官方文書。日本自其戰國時代以後，武將們在執行政務、法令，或在軍事方面發號施令時，以圖章代替畫押之風氣頗盛。其中，使用朱印之文書叫做朱印狀。在此則指發給從事南蠻貿易的船隻之渡航證明。其攜代朱印狀從事南蠻貿易的船隻，謂之朱印船；由朱印船所從事之貿易，稱朱印船貿易。

註四六：中村榮孝，《日鮮關係史の研究》，中（東京，吉川弘文館，昭和四十四年八月），頁七六。

註四七：關原之戰，日本慶長五年（明萬曆二十八年，一六〇〇），發生於美濃（岐阜縣）關原的戰役。豐臣秀吉死（一五九八）後，以居「五大老」首席地位的德川家康爲中心的一派（東軍），與以「五奉行」之一的石田三成爲中心之一派(西軍)之間爆發的戰爭。兩軍勢力原本不相上下，西軍卻因小早川秀秋之臨陣倒戈而見敗。結果，秀吉之子秀賴淪落成爲祿額六十萬石之大名；德川氏則因此戰役而確立其霸權。

註四八：《明神宗實錄》，卷五六〇，萬曆四十五年八月癸巳朔條。

註四九：肥前國（長崎縣）大名姓松浦，非村山。肥前州位於九州島，非屬另一島嶼。

註五〇：董應舉，《崇相集選錄》（臺北，臺灣銀行，《臺灣文獻史料叢刊》，第八輯，第一五三冊）〈黃公倭功始末〉。

註五一：黃承玄，《盟鷗堂集》（臺北，臺灣銀行，《臺灣文獻史料叢刊》，第三輯，第五十三冊）〈擒倭報捷疏〉。

註五二：《明神宗實錄》，卷五六〇，萬曆四十五年八月癸巳朔丙申是日條所錄，巡撫福建右副都御史黃承玄之奏言。

註五三：同註五〇。

註五四：同註五一。

註五五：「福寧」，廣方言館本《明實錄》作「福建」；「巡福寧道」，抱經樓本《明實錄》作「福建巡撫」。

註五六：同註五二。

註五七：同前註。

註五八：同註五〇。

註五九：李乾朗等，《馬祖大埔石刻調查研究》（連江縣政府，民國八十五年十月），第三章第三節，〈董應舉與沈有容的關係〉（本節由徐曉望執筆）。

註六〇：引自前舉《馬祖大埔石刻調查研究》，第四章，〈大埔石刻現況及修護計劃〉，第一節「大埔石刻內容及相關大事記」（本章由李乾朗執筆）。

明代倭亂對江南地區人口所造成的影響

——嘉靖三十二～三十五年（一五五三～一五五六）

一、前言

江南之受倭寇侵掠，始於洪武二年（一三六九）而蘇州崇明首當其衝，當時那些寇盜不僅劫掠財貨，且殺傷居民，所以沿海之地皆患之。（註一）明年六月，復寇溫、台、明州傍海之民。（註二）五年五月則寇海鹽之澉浦，殺掠人民。（註三）翌月，羽林衛指揮使毛驤、於顯，指揮同知袁義等，奉命領兵捕逐蘇、松、溫、台瀕海諸郡倭寇而頗有斬獲。（註四）同年八月，明州衛指揮僉事張億率兵討伐倭寇，不幸中流矢而卒。（註五）六年七月，又來寇掠浙江沿海，台州衛將士出海捕之，獲倭夷七十四人，船二艘，並追還被掠男女四人。（註六）此後，倭寇雖不時至東南沿海地區肆虐，惟當時那些寇盜所為劫掠的規模不大，次數亦不多，因此，洪武年間所受災害尚不嚴重，此可由《明實錄》、《明史》及各地方志之紀錄獲得佐證。

江南地區所受倭寇之害最嚴重的時期在嘉靖（一五二二～一五六六）三十年代，亦即身負剿倭重責的浙江巡撫朱紈，因出身閩地的御史周亮，給事中葉鏜等人之上疏詆譭而失位、自殺以後。朱紈失位後不僅不復設巡撫，而且中外亦搖手不敢言海禁事。更有甚者，浙中原有衛所四十一，戰船四百三十九而尺籍盡耗；紈爲捕盜所招福清船四十餘而分布於海道者，在台州海門衛有十四而以爲黃巖外障，但海道副使丁湛竟盡散遣之。(註七)在此情形之下，海禁復弛，亂益滋甚。

嘉靖三十年代的沿海倭亂，初起於內地，奸商王直、徐海等常闌出財物，與外國商人交易而皆主於餘姚謝氏。時間一久，謝氏頗抑勒其值。由於那些干犯海禁的走私商人催討甚急，故謝氏忖度負欠多而無法償還，則恐嚇他們謂：「將報官」。那些私商既恨且懼，乃糾合徒黨番客，夜劫謝氏，並縱火焚其宅第，殺男女數人大掠而去。(註八)縣官倉惶，乃申聞上司謂倭賊入寇。復由於朱紈曾下令沿海居民：有素與外國人相通者，皆得自首及相互告發。於是人心洶洶，轉相告引，或誣良善，而諸奸人懼怕官兵搜捕，亦遂勾引島夷及海中巨盜所在劫掠，乘汛登岸，動輒以倭寇爲名，其實眞倭無幾。(註九)

當時海上承平日久，人不知兵，一聞賊至，即各鳥獸竄，室廬爲空；官兵禦之，望風奔潰。此一情勢蔓延及於閩海、浙、直之間。致東南沿海各地不斷調兵增餉，海內騷動。明廷爲之旰食，如此者達六七年，至於竭東南之力，僅乃勝之。(註一〇)由於倭寇的不斷擾害，故軍兵民人之因而喪失生命、財產者不知凡幾，所以下文擬就嘉靖三十二年至三十五年之間，江浙地區軍兵民人之因渠魁徐海、王直引倭入寇而傷亡之情形作爲探討之重點，以瞭解當時倭亂對此一地區人口所造成傷害之一端。

二、嘉靖三十年代江浙倭亂的亂源

明代倭亂以嘉靖三十一年爲界，可分爲前後兩期，前期倭寇的主要組成分子爲日本西陲的武士、浪人及失去日常生活之憑依者。他們西來寇掠時，少則二三艘，多則數艘而規模並不大，除糧食、財物外，一般男婦亦爲其劫掠目標。惟前期倭寇的問題非本文探討範圍，在此姑且不談。

倭患之轉劇，係在嘉靖二年（一五二三）因日本兩造貢使互爭眞僞而釀成寧波事件（註二一），明廷加強海禁，尤其浙江巡撫朱紈因閩地出身的巡按御史周亮，給事中葉鏜等人上疏詆譭而失位、自殺之後。《明史》〈日本傳〉云：

> 當是時，日本王雖入貢，其各島諸倭歲常侵掠，濱海奸民又往往勾之。紈乃嚴爲申禁，獲交通者，不俟命，輒以便宜斬之。由是浙、閩大姓素爲倭內主者失利而怨；紈又數騰疏於朝，顯言大姓通倭狀。以故閩、浙人皆惡之，而閩尤甚。巡按御史周亮，閩產也，上疏詆紈，請改巡撫爲巡視，以殺其權；其黨在朝者左右之，竟如其請；又奪紈官，羅織其擅殺罪。紈自殺。自是不設巡撫者四年，海禁復弛，亂益滋甚。

又云：

> 祖制，浙江設市舶提舉司，以中官主之，駐寧波。海船至則平其直，制馭之權在上。及世宗，盡撤天下鎮守中官，并撤市舶，而濱海奸人，遂操其利。初，市猶商主之，及嚴通番之禁，遂

移之貴官家，負其直者愈甚。索之急，則以危言嚇之，或又以好言紿之，謂我終不負若直。倭喪其貲不得返，已大恨；而大奸若汪（王）直、徐海、陳東、麻葉輩，素窟其中，以內地不得逞，悉逸海島爲主謀。倭聽指揮，誘之入寇，海中巨盜，遂襲倭服飾、旂號，並分艘掠內地，無不大利，故倭患日劇。

此言嘉靖三十年代倭寇之所以猖獗，肇因於中國奸民之積欠倭人貨款不還。《明世宗實錄》，卷三五○，嘉靖二十八年七月戊辰朔壬申條更進一步地敍述個中情形云：

按：海上之事，初起于內地，奸商王直、徐海等，常闌出中國財物，與番客市易，皆主于餘姚謝氏。久之，謝氏頗抑勒其值。諸奸索之急，謝氏度負多不能償，則以言恐之曰：「吾將首汝于官」。諸奸既恨且懼，乃糾合徒黨番客，夜劫謝氏，火其居，殺男女數人，大掠而去。縣官倉皇，申聞上司云：「倭賊入寇」。巡撫紈下令捕賊甚急，又令並海居民有素與番人通者，皆得自首及相告言。于是人心洶洶，轉相告引；或誣良善。而諸奸畏官兵搜捕，亦遂勾引島夷及海中巨盜，所在劫掠，乘汛登岸，動以倭寇爲名，其實眞倭無幾。

由這段文字，也可瞭解嘉靖三十年代倭亂的起因，亦即所以發生後期倭寇之主要因素，源自中國內部。至於此一時期的倭寇之大都爲中國奸民，可由鄭若曾，《籌海圖編》，卷一一，〈經略〉，一，「敍寇原」；鄭曉，《鄭端簡公文集》，卷三，〈復王端溥〉、《皇明四夷考》，卷上，〈日本〉；趙炳然，《趙泰襄文集》，卷二，〈與徐存翁〉；徐學聚，《嘉靖東南平倭通錄》，嘉靖三十二年十月條；

《洋防輯略》，卷一五，〈廣東防海略〉，下；《明世宗實錄》，卷四二三，嘉靖三十四年五月甲午朔壬寅條所見，南京湖廣道御史屠仲律所上〈禦倭五事〉中的「絕亂源」，谷應泰，《明史紀事本末》，卷五五，〈沿海倭亂〉及《明倭寇始末》等的相關記載獲得佐證。

《明世宗實錄》繼上舉文字後又云：

是時，海上承平日久，人不知兵，一聞賊至，即各鳥獸竄，室廬爲空。官兵禦之，望風奔潰。蔓延及于閩海、浙、直之間。調兵，增餉，海內騷動。朝廷爲之旰食，如此者六七年；至于竭東南之力，僅乃勝之；蓋患之所從起者微矣。

嘉靖三十年代的所謂「大倭寇」，雖肇因於中國奸民積欠倭商的貨款不還，結果竟釀成整個東南沿海地區的人民塗炭，國家財賦蒙受嚴重損失，斲喪國力的重大災害，但官兵之怯懦，亦當爲使倭寇囂張的主要因素。

如據《籌海圖編》、《明世宗實錄》、《明史》等史乘的記載，當時引倭入寇者爲王直與徐海等。王直，安徽歙縣人，初爲鹽商，有任俠氣。青年時代爲落魄遊民。嘉靖十九年（一五四〇）前後，東海地方所在通番，直爲所惑，遂與奸民結合下海。萬表《海寇議．後》云：

王直，歙人。少落魄，有任俠氣。及壯，多智略，善施與，以故，人宗信之。一時惡少，若葉宗滿、徐惟學、謝和、方廷助等，樂與之遊。間嘗相謀曰：「中國法度森嚴，動輒觸禁，孰與海外逍遙哉」？

《玄覽堂叢書》續集亦云：

> 嘉靖十九年，時海禁尚弛，直與葉宗滿等之廣東，造巨艦，將帶硝黃、絲綿等違禁物抵日本、暹羅、西洋等國，往來互市者五六年，致富不貲。夷人大信服之，稱爲五峰船主。

《明世宗實錄》與嘉靖《寧波府志》俱有相關記載，而夷人之稱他爲「五峰船主」，可能因其號「汪五峰」之故。至於他渡日的年代，鄭舜功的《日本一鑑》以爲嘉靖二十四年，鄭若曾的《籌海圖編》以爲二十三年，日本文之玄昌的《鐵砲記》以爲二十二年，木宮泰彥的《日華文化交流史》則以爲二十一年。其渡日的正確年代雖不詳，但如據上舉諸書的記載，則於嘉靖二十年代東渡之事，殆無疑義。又如據《籌海圖編》，卷八，〈寇踪分合始末圖譜〉的記載，王直曾於嘉靖十九年加入私販許棟之一夥，職司出納，且爲棟領哨馬船隨貢使至日本貿易，而當時的勢力尚不大。嘉靖二十三年當時無日本貢使返國之實，此應是冒名之徒。（註一二）若〈寇踪分合始末圖譜〉的記載屬實，則王直必是與此僞使偕往日本貿易。迄至二十七年，許棟於浙江雙嶼爲朱紈所破後即逃遁，直遂收其餘黨。三十一年，則併陳思盼一夥，擴充其勢力。於是他君臨倭寇世界，並與地方官勾結，蹂躪海上。（註一三）至其肆虐情形，容於下節論述，在此則只表列其自赴日至滅亡的梗概。

王直—入雙嶼港（二十三年入許棟踪，爲司出納）—往日本（爲許棟領哨馬船，隨貢使至日本交易。）—改屯列表（二十七年，許棟爲都御史朱紈所破，直收許棟餘黨自作船主。）—併陳思盼（三十一年）—分踪入寇（因求市不得，掠浙東沿海。）—走泊馬蹟（三十二年閏三月，列表爲俞大猷所破。）

分掠—陷昌國、攻海鹽、犯杭州、犯嘉定；犯定海、破乍浦、入南匯、據吳淞—敗走白馬廟（馬蹟軍復爲參將湯克寬所破。）—往日本—屯松浦（自此以後，惟坐遣徒黨入寇，不自來。）—就擒（三十七年八月款定海關，要互市，總督胡公遣人誘入見而執之。）—伏誅（三十八年十二月，奉詔斬于浙江省城市曹。）

先是，日本非入貢不來市。私市自二十三年始，許棟時亦止載貨往日本，未嘗引其人來也。許棟敗沒，直始用倭人爲羽翼，破昌國。而倭之貪心大熾，入寇者遂絡繹矣。東南之亂，皆直致之也。自胡公誘致直，而海氛頓息，縱有來者，剿之亦易矣。（《籌海圖編》〈寇踪分合始末圖譜〉）

徐海乃渠魁徐銓之姪，與胡宗憲、王直同爲徽州歙縣人。年少出家，爲杭州大慈山虎跑寺僧，法號明山。還俗時間不詳。如據鄭舜功《日本一鑑》〈窮河話海〉，卷六，「流逋」條的記載，則其投身海寇的時期，似爲嘉靖三十年乃叔銓來市瀝港而與之偕往日本之際。《窮河話海》，卷六，「海市」條謂徐銓即徐惟學，一名碧溪，原爲鹽商，因生意失敗而加入私販行列，嘉靖《寧波府志》〈海防署〉條並見此事。

萬表《海寇議》謂徐銓原爲王直之黨羽，但不出數年，其姪海卻已被明朝當局目爲僅次於直者。前引「流逋」條言其所以如此迅速的擴張勢力的理由云：

日本之夷，初見徐海，謂中華僧，敬猶活佛，多施與之。海以所得，隨繕大船。明年壬子（三十一年），誘倭市於長途。

亦即海因日本信徒之布施而得繕其貿易所需之大船，並於獲船之同年來市瀝港。（註一四）如據《日本一鑑》或《籌海圖編》等書的記載，則以徐海一夥之名義攻掠沿海州縣，係在嘉靖三十三年，而海在本年八月以後已有獨立組織。亦即渠魁蕭顯等五月敗於松江，南奔而就滅於慈谿之後。《籌海圖編》，卷六，〈直隸倭變紀〉以為徐海勢力之強大到能夠分踪出掠的時期為三十四年四月，距其成為賊首，僅年餘而已。

〈寇踪分合始末圖譜〉謂徐海寇掠沿海州縣時的手下為日本和泉、薩摩、肥前、肥後、津州、對馬人。〈窮河話海〉，卷六，「流逋」條註云：

明年丙辰（三十五年），海乃糾結種島之夷，助才門即助五郎、薩摩夥長掃部、日向彥太郎、和泉細屋，凡五六萬眾，船千餘艘，欲往廣東為銓報讎。

嘉靖四十年《浙江通志》，卷六〇，〈經武志〉嘉靖三十四年正月條紀徐海非報乃叔之仇不可的理由在於：

先是，徐惟學以其姪海（即明山和尚）質於大隅州夷，貸銀使用。惟學至廣東南澳，為守備黑孟陽所殺後，夷索故所貸於海。令取償於寇掠。至是，海乃偕夷酋辛五郎，聚舟結黨，眾至數萬，入南畿浙西諸路，據柘林、乍浦。餘眾數千，寇王江涇。

《明世宗實錄》以爲徐銓之受指揮黑孟陽追擊而沉於海，係在往廣東私販後的歸途——潮州海上。銓死後，大隅夷索故所貸金於海。海爲償債，竟率夷酋新五郎出掠，並欲爲銓報仇。「流逋」條繼上舉文字之後謂：海以大小船千餘來寇，惟因中途遇惡風，故返其本國者不少。但以海爲首之賊二萬餘，於三月下旬抵大陸。（註二五）海率倭衆抵大陸以後的寇掠情形容於下節論述，在此則僅錄〈寇踪分合始末圖譜〉的記載，以示其肆虐之梗概：

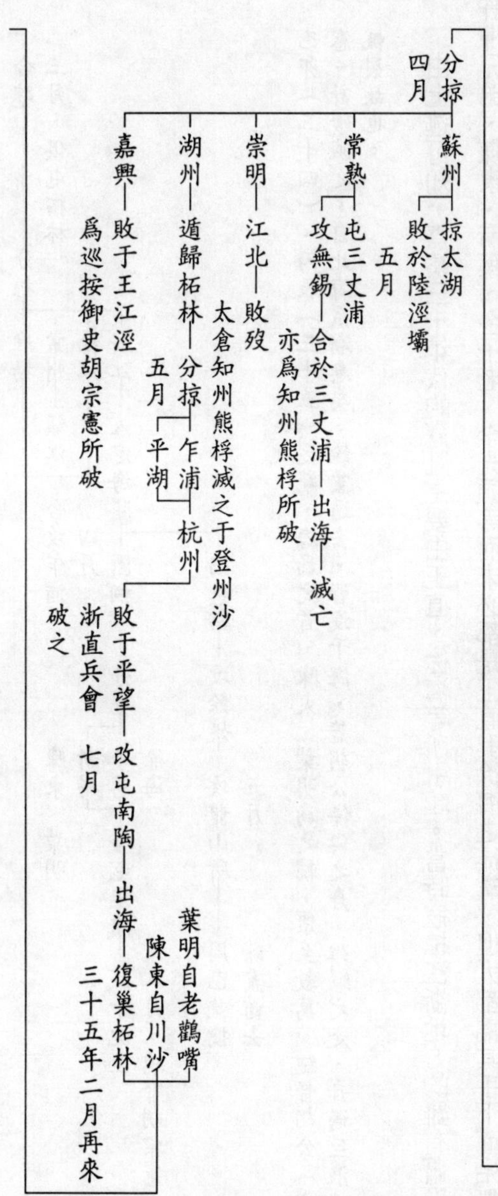

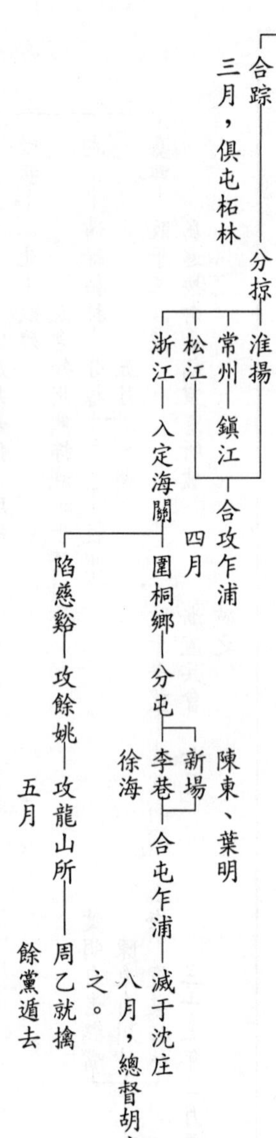

乙卯（三十四）、丙辰（三十五）之亂，海爲之首，陳東、葉明爲之輔，眾至數萬。總督胡公（宗憲）計殄滅之，自此海氛漸息矣。餘黨遁去，皆沒于海，蓋胡公佯與之舟，雖縱之走，舟遇巨浪，輒裂故也。

由上述可知，嘉靖三十年代的寇亂主要由王直、徐海等所引起。當時寇掠江浙地方的雖有蕭顯、許棟兄弟、陳東、麻葉、金子老、李光頭等而未必都是王直與徐海之徒黨，但大都爲其手下而殆無疑問。他們既大規模來犯，則中國官兵民人之死於寇亂者必多，因此，下文擬就此一方面的問題進行探討。

三、徐海、王直肆虐的情狀

筆者曾於〈明嘉靖間之寇亂與東南沿海地區的社會殘破〉一文（註一六），探討嘉靖三十年代，東南沿海地區之城鎮被倭蹂躪的情況，在此則只擬考察以王直、徐海爲首的賊夥肆虐江浙之梗概，以瞭解當時中國奸民引狼入室所造成的嚴重災害。

《明世宗實錄》，卷三九六，嘉靖三十二年閏三月丁未朔甲戌條云：

海賊汪（王）直，糾漳、廣群盜勾集各梟（島）倭夷大舉入寇，連艦百餘艘，蔽海而致（至）。南自台、寧、嘉、湖，以及蘇、松，至于淮北，濱海數千里，同時告警。

《明史》〈日本傳〉則云：

三十二年三月，汪（王）直勾諸倭，大舉入寇，連艦數百，蔽海而至。浙東西，江南北，濱海數千里，同時告警。破昌國衛。

如據光緒《川沙廳志》，卷六，〈兵防〉「兵事」條，及嘉慶《松江府志》，卷三五，〈武備志〉「兵事」條等的記載，則「賊寇青村所焦墩，遂掠下沙，百戶王河率隊長陳九等戰死」。〈直隸倭變紀〉以爲此係「閏三月，賊首王直犯嘉定」時發生之事，言：

賊自烈港之敗，以百餘人自白馬廟而來，收集餘黨，流突蘇、松，掠嘉定之寶山。鎮撫陳憲疑爲鹽盜，率輕兵追之。後知爲直，不敢襲。

然王直之敗於烈港的時間在四月，故上舉史料，應是將利用王直之聲威者誤作如是之記載。（註一七）

因倭寇肆虐，所以巡撫應天都御史彭黯，巡視浙江都御史王忬等，雖各巡視海上，但：

倭自閏三月中登岸，至六月中始旋留內地，凡三月，若太倉、海鹽、嘉定諸州縣；金山、青山、錢倉諸衛所，皆被焚掠。上海縣、昌國衛、南匯、吳淞江、乍浦、秦嶼諸所，皆爲所攻陷。崇明、華亭、青浦、象山、嘉興、平湖、海鹽（寧）、臨海、黃巖、慈谿、山陰、會稽、餘姚等縣、鄉、鎮，焚蕩略盡。向來所稱江南繁盛安樂之區，騷然多故矣。（註一八）

而情勢極為緊迫，故在此後，賊亦不斷來襲。

迄至三十三年，《明史》〈日本傳〉云：

正月，自太倉掠蘇州，攻松江，復趨江北，薄通、泰。

《明世宗實錄》則云：

倭寇自太倉、南沙潰圍出海，轉掠蘇、松各州縣。時賊據南沙五月餘，官軍列艦于海口，圍之數重不能破。軍中多疾疫，乃佯棄敝舟遺之，開壁西南陬。遂得出。（註一九）

《倭變事略》則紀：「春正月，倭寇松江沿海地方，南祥、新城二鎮尤甚，所獲輜重尤多」。《嘉靖東南平倭通錄》並見此事。惟據康熙《上海縣志》與《籌海圖編》的記載，此係蕭顯之一夥而非徐海之徒黨。又如據〈寇踪分合始末圖譜〉的記載，蕭顯於攻嘉定、上海後敗走海鹽，於三月為參將盧鏜兵備任環所破，五月滅於慈谿。

在此時期，倭寇在各地逞其劫掠之能事，如入無人之境。故於三十一年七月當巡撫的王忬，到三十二年五月時，為李天寵所取代，繼則由南京兵部尚書張經視其事，悉力討伐倭寇。《明史》〈日本傳〉云：

六月，由吳江掠嘉興，還屯柘林。縱橫來往，如入無人之境，（巡撫王）忬亦不能有所為。未

> 幾，忬改撫大同，以李天寵代。又命兵部尚書張經總督軍務。乃大徵兵，四方協力進剿。是時，倭以川沙窪、柘林爲巢，抄掠四出。

《倭變事略》記載：劫掠浙江的倭寇於六月十四日來自太倉劉家河，約千餘，而「燬劫一夜，燄燼亙數里焉」。《籌海圖編》〈直隸倭變紀〉紀錄與此相對之記事云：

> 六月，賊犯蘇州府——賊自松江來者，分作三支，一由嘉定、太倉大道而進；一由關橋、青浦間道而進；一由唐行、千墩而進。會於崑山，期犯府城。兵備任環，禦之於直義，弗利，百戶劉愛臣死焉。賊遂進至府城，焚掠諸市鎮而去。

由此可知，掠吳江之倭寇主要來自松江，然後將其目標轉向嘉興。署都指揮僉事夏光，督兵禦之，背王江涇而陣。賊衆鼓譟而前，官軍大敗。光急入舟，中流矢溺死。此乃六月十五日之事。

上述倭寇於八月自嘉興還，屯柘林等處，進薄嘉定縣城。會募兵參將李逢時、許國以山東民兵槍手六千人至，（註二〇）與賊遇於新涇橋。逢時率其麾下，先擊敗他們。賊退據羅店鎮，官軍追及之，擒斬八十餘人。（註二一）

山東兵復追擊倭寇至採淘港，乘勝深入。伏起，官兵大潰，溺水死者千人，指揮劉勇等陣亡。賊遂營巢於採淘港。〈直隸倭變紀〉以爲：

> 八月，賊攻嘉定縣——賊首王直，分遣其酋吳德宣、徐碧溪，自綵絢港率眾千餘，入攻縣城。

由此看來，此乃王直之徒黨，然王直本人並無來攻之跡象，故此當係汎稱其麾下者。《明世宗實錄》

以爲官軍大敗於採淘港的原因在於彼此爭功。曰：

……新涇之捷，李逢時功最。許國恨逢時與之同事，而不先約己，乃別從間道襲賊，欲與分逢時功。會暮大雨，劉勇等兵先陷沒，諸軍繼之。皆倉卒不整，遂大敗。（註二二）

亦即與李逢時爭功的許國，追寇至採淘港，乘勝深入的結果，中伏而大敗。

迄至九月，崇禎《松江府志》，卷四九，〈兵燹〉云：

九月十七日，柘林賊攻青村所。相持十日，揭帨爲旗隊而進。城上矢石雨下，傷者甚眾。千户陳元恩，一矢中賊吭，尋解去。元恩弟元思，以鉛銃置堞間，熟視舉火，即仆一賊衣紅衣，乘驢循護塘而行者。

〈浙江倭變紀〉則言：浙西之賊分掠浙東之蕭山、臨山、瀝海、上虞等地。其實十月來寇者所在皆有，《倭變事略》紀此事云：

十月初八日，石墩泊一大船，賊百餘，詭言兵船打水，使居人不疑，暮則四掠矣。至十一日開洋，遇兵船，復登岸。十四日，丁總戎僅與徐（指）揮使行健，率兵往剿。丁斬八賊，徐殺五賊。明日，兵船生擒二賊，餘黨復開洋。追抵菜子山，火器破其船，斬獲八十餘，生擒十三賊，赴官司訊問。言如鳥語，莫能辨也。

既然言如鳥語，則應非華人而屬眞倭。如據《明世宗實錄》的記載，則浙江之賊，於本月十六日襲樂清之黃巖、東陽、永康諸縣，而其作戰情形詳於〈直隸倭變紀〉。五日後，下「復失事金山等處備倭官署都指揮僉事盧鏜原職，充分守浙江寧、紹、台、溫地方參將，仍戴罪殺賊」之令，此當係爲對應倭寇大舉來浙江之措施。二十五日，倭寇三千餘人，由金山突至西海口，登岸分掠。三日後，明朝當局乃命浙江都司都指揮僉事劉恩至，充金山等處備倭官，兼捕鹽徒、盜賊，以應急措施。因此，〈浙江倭變紀〉於「攻乍浦所」條所謂：「賊自金山而來，攻城不克。乃分掠平湖、嘉興等出，復回柘林」者，應與《明世宗實錄》所記載者同屬一事。《倭變事略》詳言此賊動態云：

> 二十五日，沙上□（賊）數千來寇，總六十八號，每號約六七十人。執白旗，吹螺整隊而來，分八九路。是日，一犯平湖，一犯我十六都，一犯新行鎮，一犯嘉興諸鄉村。其在新行者，蔓延十數里，燬掠三日，執民載輜重。二十七□（日），還沙口，守巢者出迎相慶，以爲出掠無事，且得利云。十六都賊歷平湖，抵嘉善，入嘉興，載輜重百餘船，北抵王江涇，出南潯，掠皂林、烏鎮、雙林等市。

迄至十一月，〈浙江倭變紀〉紀謂：

> 十一月，賊入嘉善縣，遂至湖州——賊復自柘林來，入縣治。又越嘉興府而西，流劫湖州諸縣。

然至十二月，賊又返嘉善縣，百戶賴榮華陣亡。乾隆《金山縣志》，卷十一雖有相關記載，但《明世宗實錄》十二月丁卯朔乙亥條所謂：「蘇州被倭」，應屬同一事件。之後，賊入寇縣城凡十七次。〈浙江倭變紀〉言彼輩之所以能夠如此猖獗的原因，在於該處無城。此賊於二十三日陷青村所，〈直隸倭變紀〉謂其「焚劫比他地尤慘」。而崇禎《松江府志》，卷四九，〈兵燹〉條亦言其寇掠之悲慘情形曰：

十二月五日，賊乘夜雨雪進攻青村城。柘林距青村二十五里。夜半臨城，官軍不覺。賊縋而上，縱焚城樓，大肆殺掠，軍民死者幾二千人。劫擄財物、婦女，城爲之墟。

嘉靖三十四年，《明史》〈日本傳〉云：

明（嘉靖三十四）年正月，賊奪舟犯乍浦、海寧，陷崇德，轉掠塘棲、新市、橫塘、雙林等處，攻德清縣。五月，復合新倭，突犯嘉興，至王江涇。乃爲（張）經斬千九百餘級，餘奔柘林。其他倭復掠蘇州境，延及江陰、無錫，出入太湖。

如據前舉〈寇踪分合始末圖譜〉，則此賊爲徐海之同夥，《明世宗實錄》，卷四二〇，同年三月丙申朔丁未條記載徐海一夥於正月來襲之事曰：

浙江巡按御史胡宗憲疏報：正月朔，柘林倭奪舟犯乍浦、海寧，攻陷崇德縣。又轉掠搪（塘）棲、新市、橫塘、雙林等處，復攻德清縣。

賊黨於得勝後還柘林。二月一日犯平湖，置長梯攻城。城上落大石，殺數賊。賊奔逃，轉掠嘉興府。〈浙江倭變紀〉所記：「二月，攻嘉興府——賊掠湖州而回，復攻府城」，即與此對應之文字。三月，總督張經所調集之瓦氏等客軍先後抵達。而新場、下沙及閘港、川沙之賊攻上海，柘林賊亦一再攻金山，但張經不輕易出師。二十三日，賊自金山戰後，歷乍浦，次海鹽，至賴頭門。聞澉浦火炮連聲不絕，復轉由海鹽城西官塘，抵璵城。（註二二三）《倭變事略》對此賊之往後行動固有詳細記載，但最能把握其攻防情勢及勝利意味者爲《明世宗實錄》。該書同年五月甲午朔條云：

柘林倭合新倭四千餘人，突犯嘉興。總督張經分遣參將盧鏜等督良（狼）土等兵，水陸擊之。保靖宣慰使彭藎臣，與賊遇于石塘灣，大戰，敗之。賊遂走平望。副總兵俞大猷，以永順宣慰官彭翼南兵邀擊之，賊奔回王江涇。保靖兵復擊急（急擊）其後，賊之（遂）大潰。諸軍共擒斬首功，凡一千九百八十人有奇，溺水及走死者甚眾。餘賊不及數百，奔歸柘林。自有倭患以來，東南用兵，此其第一切（功）云。

官軍因此空前大勝利而剿倭之信心大增，故在此以後不久，徐海徒黨之寇蘇州方面者，爲兵備副使任環平定於平望、陸涇壩，其作戰經過詳於《籌海圖編》，卷九，〈大捷考〉，「平望之捷」及「陸涇壩之捷」條。

六月，陸涇壩之殘倭於二十四日攻省城。（註二四）《明世宗實錄》謂：

（八月）辛卯（九日），柘林賊載舟出海。僉事董邦政，總兵俞大猷，各督所部水兵分哨擊之，斬首七十有奇，獲船九艘。邦政復以嘉定兵擊賊于寶山，斬首九十八級。（註二五）

四日後的乙亥則：

柘林開洋賊，遭風壞三舟。餘賊三百有奇，自蔡廟港登岸，流至華亭縣陶宅鎭，據之。

《籌海圖編》以爲此係徐海之一夥，因徐海移據陶宅，柘林賊巢方得經兩年後始空。〈直隸倭變紀〉將此繫於七月，言：「柘林賊攻屯陶宅」。崇禎《松江府志》，卷四九，〈兵燹〉，則以此爲八月十八日之事云：

> 柘林賊艘約五百餘，開洋遭颶。備倭王世科，把總劉堂等各駕船乘勢追擊。覆賊大船二隻，斬首二百八十級。又飄賊船二十餘，入吳淞口。賊復回柘林，止存九十八艘。……其八團賊徐海，乃移據陶宅，柘林之巢始空，居民井舍，蕩無一二存者。

該《府志》又言徐海移據陶宅的原因，在於胡宗憲遣王沛伏擊其遁去之故。

十月，陶宅倭見官軍四集，夜走周浦，屯永定寺內。官兵予以追圍。此時，柘林開洋賊舟九隻，復回登岸，爲巢於川沙窪，（註二六）致該處之賊至四十餘艘，而繼至者未已。因此，副總兵俞大猷被問罪。世宗乃下詔姑責取死罪，命他殺賊立功。（註二七）

十一月，周浦賊乘夜奔向東北；閏十一月，至川沙窪與巢賊會合。四川、山東諸兵，日夕伺擊之，賊乃焚巢，載舟出海。副總兵俞大猷，兵備王崇古，合兵入洋追擊，及於老鶴嘴，斬首一百七十餘級，生擒四十七人；衝燬賊巨舟八艘，餘賊奔上海浦東。（註二八）

三十五年二月二十六日，水陸賊合衆約萬餘，分寇各地。時賊首徐海、痲葉知嘉杭兵被調至松江搗巢，各地無兵可恃。故海率衆先圍乍浦，毀民居爲臺，使之高於城，然後置薪於臺上，覆以青麥，縱火焚之，使濃煙噴入城中。致城中守卒不能立，城幾陷，幸賊自退，方免於浩劫。（註二九）惟當時兩浙皆被倭，而慈谿焚殺獨慘，餘姚次之。浙西柘林、乍浦、烏鎮、皀林間，皆爲賊巢。前後至者二萬餘人。（註三〇）

四月二十三日，倭寇萬餘，復趨皀林等處。左擊將軍宗禮，帥兵九百人禦之於崇德三里橋，三戰俱捷。賊首徐海等皆辟易，稱爲神兵。會橋陷，禮與鎮撫侯槐、何衡，忠義官霍貫道陣亡。賊乘勝攻桐鄉，不克。（註三二）然在五月，雖斬賊二百餘，卻爲所陷，官兵寡不敵衆而退。未幾，胡宗憲用計解桐鄉之圍。

《倭變事略》與《明世宗實錄》所記載此後有關徐海的消息，都是胡宗憲如何用計捕獲陳東、麻葉等渠魁，及如何將徐海殲滅於沈庄之經過。許重熙《嘉靖以來注略》，卷四，嘉靖三十五年七月條對於徐海自與陳東等人反目，至被殲之經過有如下記載云：

> 賊徐海與陳東貳，遂誘東執之，并其黨葉麻等百人以獻。帥所部五百人，別營梁莊。官軍圍乍浦巢；連戰，斬首三百，奪所掠男女七百餘，焚溺盡死。初，（胡）宗憲遣華老人檄海降。海怒，縛而將斬之。其所幸婦王翹兒力勸，親解縛縱歸。宗憲乃更遣羅文龍說海，而因以金珠賂翹兒。翹兒日夜泣言：海中作賊無休計，不如降而得官。海心動，遂約降，因殺東自效。及乍浦巢平，官軍萃而薄之。海勢孤，因自沉死。翹兒來歸，宗憲以賜永順酋長，亦自沉。

至海被殲的詳細經過，請參看茅坤《紀剿除徐海本末》、采九德《倭變事略》，及拙著《明代中日關係研究》，頁四〇九至四二八，在此不擬贅言。

王直既爲賊首而又一再寇掠沿海州縣，自非謀其對策不可。其治本辦法爲招撫。招撫王直之議始於三十三年五月。《明世宗實錄》，卷四一〇，嘉靖三十三年五月庚午朔丁巳條所錄當時兵部所議招撫王直之賞格爲：

有能擒斬首惡王直等者，授世襲指揮僉事。如直等悔罪，能率眾來降，亦如之。其部下量授世襲千百户等官，俱塡註備倭職事。

然當時兵部都給事中王國禎極力反對，故未付實行。反對理由爲：即使降直，未必不出別個直來。沈朝陽《皇明嘉隆兩朝聞見記》，卷六，同年條紀王國禎反對招撫王直之事云：

五月……時兵科給事中王國禎上禦倭方略，言懸賞招降賊首王直非計。兵部尚書聶豹復言：「海賊與山賊異，山賊有巢穴，可以力攻；海賊乘風飄忽，瞬息萬里，難以力取。臣聞王直本徽人，以通番入海得罪後，嘗爲官軍捕斬海寇陳嶼主等，及餘黨二三百人，欲以自贖。是時有司不急收之，遂貽今日大患。故仿岳飛官楊么、黃佐故事，懸賞購募，以賊攻賊，非輕王爵以示弱也」。上以國禎言爲是，令一意剿賊，脅從者待以不死，賊首不赦。

當時剿倭將領劉燾亦在其《劉帶川文稿》，卷五，〈答總督胡梅林（宗憲）剿倭夷書〉中言王直不可撫。（註三二）

兵部提議後一個月，鄭曉亦提此建議，（註三三）但對撫直工作仍未採取任何具體行動。而官軍常敗北，兩浙地方的倭寇日益猖獗，犧牲者亦夥。於是在江南督察軍情的工部侍郎趙文華，與浙江總都胡宗憲方知倭寇不易滅，深恐禍臨己身，乃徵求其對應策略，悉心鑽研撫寇密議。結果，派遣辯士蔣洲、陳可願，及往日與王直有交情者數人赴日諭直。諭直的經緯詳於黃宗羲《南雷文約》，卷三，

〈蔣洲傳〉；其聽撫返國後被收押於浙江按察司獄，及被處斬的顛末，則詳於《倭變事略》，卷四所附王直〈自明疏〉，和上舉《明代中日關係研究》頁四三〇至四四八。直被捕後，前此蹂躪江、浙的倭寇，遂將其寇掠目標轉移到閩、廣方面，而長年爲倭寇所苦的江、浙沿海居民，乃得逐漸獲得平安日子。

四、因倭亂而為國捐軀之文吏與將士

由於以徐海、王直爲首的倭寇在嘉靖三十二至三十六年之間，大肆蹂躪江南，故明廷曾經一再從各地調兵遣將，或增募壯士，藉謀早日消弭禍患。例如：

○巡撫應天都御史彭黯，巡按御史陶承學等言：「倭勢日熾，非江南脆弱之兵，承平紈夸之將所可辦者，請以便宜調山東、福建等處勁兵，及勅巡視浙江都御史王忬督發兵船，犄角攻剿」。兵部覆：「山東陸兵不嫻水鬥，福建海滄、月港亦在戒嚴，豈能分兵外援？宜令黯等就近調處州坑兵一二千名，仍隨宜募所屬濱海郡縣義勇、鄉夫，分布防禦，并請命王予互相應援。其應用兵船、糧餉、器械、火藥，許徵發在所支用。(註三四)

○兵部覆巡按御史孫愼言，浙江、江北諸郡，倭患方殷，蘇、松二三月間所在告急，皆經略失人，軍令不嚴所致。乞敕巡撫屠大山，收忠勇之士，申明誤軍之罰(一作罪)。……(註三五)

○給事中王國禎。賀涇，御史溫錦葵等，以倭寇猖獗，逼近留都，各上疏乞調兵給餉，……因薦南京兵部尚書張經堪任總督；調兵當遣御史及本部司官各一員，賫太倉銀六萬兩往山東調發；奏留民兵一枝，及青州等處水陸槍手共六千人，人給軍裝銀十兩，令參將李逢時、許國督赴揚州，聽經調度。……（註三六）

○命調永順宣慰司彭明輔，保靖宣慰司彭盡（藎）臣，各帥所部士兵三千人前赴蘇、松剿賊。先是，總督張經議調廣西狼兵及湖廣民兵尙未至，而蘇、松自十月後新倭繼至者又萬餘人；經至是告急，因復以調兵請。許之。（註三七）

○總督南直隸浙福軍務侍郎楊宜言：「吳浙民柔懦不可用，所調客兵日久思歸。今松江、浙東間賊尙千餘，新倭且至，何以禦之？請如正德間調各邊兵剿賊故事，每邊擇勁兵二枝，以敢戰將二人領之，期以（三十五年）三月至；河南睢、陳、彰德官軍及毛葫蘆軍，共選三千，隨給甲兵衣費，以宣武等衛帶俸都指揮吳子英等統之，期以二月至」。章下，兵部獨請調河南兵，其邊兵留以備虜。（註三八）

○命操江都御史史褒善量調九江、安慶官軍防守京口、峕（一作圖）山等處，添設把總指揮一員領之。初，上從部議，以南京營兵不宜出戍，悉令掣還。及是，江南北俱被倭，自京口以西至南京，各關隘戍守盡仰外兵，不敢發京營一卒。於是應天、常、鎮守臣各稱不便，兵部乃復爲請，于近京龍潭、觀音港、株陵、淳化四處量發營兵，與在城民兵戍之。其京口去京遠者，聽操江都御史以便宜調別衛軍協守，因有是命。（註三九）

○兵部尚書許論以江南新場餘倭未平，上言三事：「一、請精選嵩、盧（一作廬）、徐、沛之兵爲輕兵，又調募邊兵及廣兵，俱犄角賊巢之傍爲重兵，每戰則以重兵結寨自固，而遣輕兵更出肄（肆）之，其餘不足用者爲冗兵，可復還故鎭。……」詔：「如議行」。（註四〇）

當時遣兵調將的情形既如此，這不僅表示此一時期倭患之劇烈，也可由此證明文官與儒士及官軍將士傷亡之慘重。

那麼，當時官軍的傷亡情形如何？茲據各種史料列舉如下：

(一)、文官與儒生：

嘉靖三十二年

○知事何常明，與賊戰於杭島山，乘勝追賊，中伏而死。（籌海圖編卷一〇）

嘉靖三十三年

○倭寇……攻松江府，官軍追戰，敗績，縣丞劉東陽死之。（世宗實錄卷四〇七）

○浙江倭寇破崇明縣，知縣唐一岑死之。（籌海圖編卷六、卷一〇；世宗實錄卷四一二）

嘉靖三十四年

○倭寇常熟縣，知縣王鐵（鈇）率兵乘城禦之。賊屢攻不克，移舟泊三里橋。鐵及致仕參政錢泮，率耆民、家丁追賊於上滄港，爲賊所掩擊，俱死。（籌海圖編卷六、卷一〇；世宗實錄卷四一二）

○賊犯鳴鶴，省祭官杜槐死之。（籌海圖編卷一〇）

○倭進據江陰蔡涇閘，分衆犯唐頭。知縣錢錞統狼、民兵禦之，……賊伏兵四起，狼兵悉奔，惟錞及民兵八人，盡死於賊。（籌海圖編卷六、卷一〇；世宗實錄卷四二三）

○高埠逃倭……至嚴州淳安縣，僅六十餘人，……乃趨南陵。縣丞莫逞以三百人守分界山。……賊遂入縣城，縱火大焚居民房屋。蕪湖縣丞陳一道，太平府知事郭樟，各承檄以兵來援。……一道所率皆蕪湖驍健，乃麾衆獨進，爲賊所殺。一道義男子義，横身捍賊刃，死之。（世宗實錄卷四二四）

○賊自宜興奔蘇州，……流劫杭、嚴、徽、寧、太平、留都，經行數千里，殺戮及戰傷無慮數千人，凡殺一御史，一縣丞，二指揮，二把總，入二縣，歷八十餘日始滅。（世宗實錄卷四二五）

○故省祭官杜槐父文明，主簿畢清，與賊戰於楓嶺，死之。（籌海圖編卷六、卷一〇）

○生員胡夢雷，與堂兄應龍、操六等，率鄉兵與賊戰於東關，手刃數賊，力竭而死。（籌海圖編卷一〇）

○儒士金應暘，與賊戰於母婆嶺，死之。（籌海圖編卷一〇）

嘉靖三十五年

○江北倭流劫至岡山、山北等港，無爲州同知齊思，率舟師迎戰，敗之，斬首百餘級。思長子敞，次子嵩，叔仲賓，弟實、榮，姪寅、友良、大卿，孫童，俱在行。嵩年十八，驍勇善射，獨前追賊至安港，思等從之。會伏發，賊四面圍合，思等及其家丁錢鳳等二十一人力戰，皆死之，獨嵩、

慎、寅三人得脫。（籌海圖編卷六、卷一〇；世宗實錄卷四三四）

〇官軍與賊戰於雁門嶺，生員倪泰員死之。（籌海圖編卷一〇）

㈡、將士：

嘉靖三十二年

〇閏三月，官兵與賊戰於烈港，軍人葉七死之。（籌海圖編卷一〇）

〇四月戊子，海寇犯太倉州……往來平湖、海鹽、海寧之境，縱橫肆掠，焚戮慘虐。官兵前後遇之皆敗，凡殺把總一，指揮四，千戶一，百戶六，縣丞一，所傷官兵無慮數百人。（世宗實錄卷三九七）

〇（二日）賊……由腹裏抵新行鎮，所過殺傷十數人。初四日，……戰酣伏發。而茅堂、舒惠、敖震素稱勇敢者，皆戰歿。我軍死者十八人。……自竹林廟經平湖縣地，典史喬登父子率兵壯邀擊。喬遇害，兵士死者十七人云。（倭變事略、天啓平湖縣志卷七）

〇二日，一海船長八九丈餘，泊鹽邑演武場北新塘觜。……次日侵晨，軍人胡士澄持火藥數斗，奮身上船，焚之；火發，賊突起，胡遂被殺。（倭變事略）

〇賊薄省城，指揮吳懋宣，率僧兵禦之于赭山，力戰死之。賊陷昌國城，百戶陳表持兵相拒，斃賊數人死之。（籌海圖編卷一〇、嘉靖浙江通志卷六〇）

〇賊破乍浦所，百戶陳綬死之。（籌海圖編卷一〇、康熙平湖縣志卷九）

○倭寇赭山，杭州前衛指揮陳善道，百戶陳綬，冠戴總旗張儒，皆戰歿。（籌海圖編卷一〇、萬曆杭州府志卷六、天啓平湖縣志卷七）

○賊犯平湖，百戶劉、黃與戰，死之。（籌海圖編卷一〇）

○犯白馬廟，指揮蔡死之。（籌海圖編卷一〇）

○倭犯三江港口，百戶陳、黃死之。（籌海圖編卷一〇）

○賊陷昌國衛，百戶陳表死之。（籌海圖編卷一〇）

○五月二日，青村有賊四十二人，……指揮滿朝率乍浦軍數十人追及，遂圍之。……不虞白馬廟中更有賊突出，朝腹背受敵，奮勇砍殺，以兵寡難支，死焉。時有千戶王繼隆，百戶朱堂、康綬被殺，官軍死者二十人。（倭變事略、籌海圖編卷一〇）

○六日侵晨，我軍星散，至柴家埭炊餉。……馬總（協總指揮馬呈圖）被一槍穿胸背死。（指揮）采（煉）乘騎擊賊，傷二；賊恚甚，斫其首，腮喉處受數刃而斃。千百戶姜節、呂鳳、姚岑、王相等咸被殺。一鼓手擂鼓促戰，賊一槍連鼓釘之地。我軍歿者四十餘人。（倭變事略、籌海圖編卷一〇）

○賊抵馬家堰，就袁姓民家食。執民導行，……入海寧縣界。守禦所軍出擊，被殺者數百餘。（倭變事略）

○癸丑，倭寇復入上海縣，燒劫縣市。知縣喻題（顯）科逃匿，指揮武尚文及縣丞宋鰲俱戰死。（嘉

靖東南平倭通錄、世宗實錄卷三九八、籌海圖編卷一〇）

〇有失舟倭四十人，突至平湖海鹽焚掠，官兵禦之，皆敗績。凡殺一把總，四指揮，及百戶、縣丞。竟奪舟去。（嘉靖東南平倭通錄）

〇二十八日，海寧流賊七十餘，剽掠村落。六月初一日，羅（拱辰）率兵征剿。先遣哨領項姓者覘虛實，項率所部數十衆，抵石墩，……後援不至，被殺。賊復出擊項兵，傷數十人。（倭變事略）

〇九月十二日，賊船十餘隻，泊乍浦……賊出奇兵擊我；松陽葉千戶，嘉興沈隊長等四人被殺，兵民死者百餘人。（倭變事略、天啓平湖縣志卷七、康熙平湖縣志卷九）

〇十月己卯，總兵湯克寬，督邳、漳等兵擊南沙倭，敗績，亡卒四百餘人。（嘉靖東南平倭通錄、世宗實錄卷四〇三）

〇賊登西匯嘴，千戶張應奎，百戶王守正、張永死之。（籌海圖編卷一〇）

嘉靖三十三年

〇二月，賊由赭山……轉攻嘉興。官兵與賊戰于孟家堰，指揮宋應蘭死之。又賊四十餘，突至百家山，百戶趙宣、梁瑜戰死。（嘉靖浙江通志卷六〇）

〇倭寇由上海黃浦逸出，攻松江府，官軍追戰，敗績，縣丞劉東陽死之。（嘉靖東南平倭通錄、籌海圖編卷一〇、世宗實錄卷四〇七）

〇初，湯（克寬）公在（海）鹽時，有家兵黃猛者，……抱病從征，猶殺六賊而死。（倭變事略）

○參將俞大猷，督兵剿普陀山倭，我軍半登，賊突出乘之，殺武舉火斌等三百餘人。（嘉靖東南平倭通錄、籌海圖編卷一〇、世宗實錄卷四〇八）

○四月五日……（賊）至龍王塘，數之，五百六十六人。……兵至孟家堰，夾河而戰。賊誘我軍入伏內，四面攻殺。殺官軍四百人，溺死五百人；掌印指揮李元律，處州千戶薛綱、宋應漸，及千總劉大仲等皆力戰，死之。（倭變事略、籌海圖編卷一〇、光緒嘉興府志卷四二、光緒海鹽縣志卷一二、鈔本墨筆批校海昌外志）

○倭寇自嘉興東掠入海，至崇明，夜襲破其城，知縣唐一岑死之。（嘉靖東南平倭通錄）

○二十三日，賊掠糠篩橋而歸，道出靈泉山。時省城周都閫，及指揮徐行健，率兵兩路追賊，……周墜馬被殺，失亡二千人。（倭變事略、光緒杭州府志卷四四、光緒海鹽縣志卷一二）

○賊入上海縣，指揮武尚文死之。（籌海圖編卷一〇）

○賊攻松江府，副千戶童元，巡檢李叢祿死之。（籌海圖編卷一〇）

○海寧所千戶江楫，與倭戰於海鹽城外，死之。（康熙杭州府志卷三七）

○倭復寇海寧，辛卯，戰石墩，傷百人。（光緒杭州府志卷四四）

○五月二十日，賊百餘過平湖城西陽墩。原調守本縣百戶朱璽，率兵勇追及，於嘉興與戰，被殺。（天啓平湖縣志卷七、康熙平湖縣志卷九）

○六月十四日，寇至太倉劉家河，衆約千餘，由官塘經崑山，抵儀亭，……湯、盧、夏、丁、劉五帥會剿於王江涇巡檢司前，勝之；……復戰於杉青閘百步橋，我師敗績。夏總戎遇害，殺溺官兵數百人。（嘉靖東南平倭通錄、倭變事略）

○八月，山東兵復追擊倭寇至採淘港，乘勝深入。伏起，我兵大潰，溺水死者千人；指揮劉勇等死之。（嘉靖東南平倭通錄、世宗實錄卷四一三）

○賊屯李家澳，義士朱汀與戰，死之。（籌海圖編卷一〇）

○九月，賊犯百家山，百戶趙軒、梁踰死之。（籌海圖編卷一〇）

○賊寇沈家河，都指周應禎死之。（籌海圖編卷一〇）

○十月，百戶張曜，與賊戰於湖頭，死之。（籌海圖編卷一〇）

○賊至東陽南午嶺，巡檢朱純死之。（籌海圖編卷一〇）

○賊犯芙蓉海口，指揮戴杞，江九山千戶崔海，鎭撫劉彧，百戶易坎，死之。（籌海圖編卷一〇）

○十二月，賊入嘉善縣，百戶賴榮華死之。（籌海圖編卷六、一〇）

○王烈，泰州人。世襲守禦正千戶。嘉靖三十三年，倭寇通州，巡撫鄭曉檄烈往援。至黃茅港，遇伏，力戰不勝，死之。加贈一級，世襲指揮僉事。（四庫本江南通志卷一五四）

嘉靖三十四年

○正月朔，柘林倭，奪舟犯乍浦、海寧，攻陷崇德縣，又轉掠塘棲、新市、橫塘、雙林等處，復攻德清縣，殺把總梁鶚，指揮周奎、孫魯，百戶陸陵、周應辰、副理問、陶一貫，武生郭周、張景

安、朱平、姚清等。（嘉靖東南平倭通錄、籌海圖編卷一〇、世宗實錄卷四二〇）

○賊……復抵杉青，……嘉興兵與賊戰，止獲四賊而喪師三千，沒官十二員。（倭變事略）

○二十三日，先鋒丁（僅）總戎駐兵方炊，會大風起，……掩二擊，我師大潰，覆千餘人，由是賊勢益振。（倭變事略）

○四月，賊犯瑞安縣，守備劉隆，千戶尹，死之。（籌海圖編卷一〇）

○初八日，諸帥揚兵出哨，遇賊，殺九賊而覆兵三百。（倭變事略）

○百戶劉夢祥，與賊戰於崇丘，死之。（籌海圖編卷一〇）

○賊……常熟知縣王鈇，與致仕參政錢泮，俱爲所殺。已，復攻圍，軍□□□，逾月不解。縣乞援於府，兵不至，知縣錢錞死之。賊復寇唐行鎮，游擊將軍周璠，迎敵死之。別有賊九十三人，自錢塘白沙灣入奉化仇村，經金峨突七里店，敵殺寧波衛百戶葉紳……敵殺寧波衛千戶韓綱，……京營把總朱襄、蔣陞被殺。（嘉靖浙江通志卷九〇）

○趙文華至松江，……至曹涇，遇倭數百人，鼓衆衝戰，不勝。頭目鍾富、黃維等十四人俱死，失亡甚衆。（嘉靖東南平倭通錄）

○五月，倭舟二十餘艘，衆約千餘人，自海洋突犯蘇州青村所，……南京都督周于德引兵來援，一戰而敗，鎮撫孫憲臣被殺。（世宗實錄卷四二二）

○原屯川沙窪倭賊突犯閘港，……分掠泗涇北幹山，僉事董邦政，遊擊周藩，引兵追擊于塘行。我

兵驚潰，藩被創死，軍士死傷者三百餘人。（籌海圖編卷一〇、世宗實錄卷四二一）

○二十三日，硤石賊伏起掩擊，我師大潰，覆千餘人。（倭變事略）

○六月，倭舟有被海風飄回者，舟壞，餘賊五十人屯嘉定民家。參政任環，以耆兵攻之，不克，傷亡幾三百人。（嘉靖東南平倭通錄、世宗實錄卷四二三）

○倭賊百餘自上虞爵谿所登岸，突犯會稽高埠，奪民居樓房據之。知府劉錫，千戶徐子懿等分兵圍守。……鄉官御史錢鯨遭於浦聖，見殺。（嘉靖東南平倭通錄）

○七月，指揮張大綱，生員陳淮，與賊戰於蘇州橫涇，死之，兵卒傷亡亦衆。……此賊自紹興高埠奔竄，不過六七十人，……殺戮及戰傷無慮四五千人。凡殺一御史，一縣丞，二指揮，二把總，入二縣，歷八十餘日始滅。（籌海圖編卷一〇、世宗實錄卷四二五）

○倭犯南京，……趨太平府。……江寧鎭守備遣指揮朱襄等率勇士數百人出。時賊已至板橋。襄等怠緩不知，袒裼縱酒，一遇賊，盡爲所殲。（嘉靖東南平倭通錄）

○是月，錢塘江有一船，渡賊六十餘……直抵南京。各路官兵迎擊不克。陣亡武職凡三十餘員，兵以萬計。（倭變事略）

○九月，督察軍務侍郎趙文華，大集浙、直兵夾攻倭于陶宅，……浙江諸營皆潰。我軍擠沉於水及自相蹂踐，死者甚衆，損失軍士凡一千餘人。直兵亦陷伏中，死者二百餘人。（嘉靖東南平倭通錄、倭變事略、世宗實錄卷四二六）

○官軍進搗陶宅賊巢，指揮邵昇、姚泓，生員于岳死之。（籌海圖編卷一〇）

○十月，倭二百餘人，自樂清登岸，……志楓樹嶺，慈谿領兵主簿畢清見殺。（嘉靖東南平倭通錄）

○百戶劉愍，與賊戰於庥園，死之。（籌海圖編卷一〇）

○倭五千餘人犯浙江平陽縣，……殺協守指揮祁嵩。……又倭八十餘人犯舟山，……指揮閔溶，義士吳德四、吳德文與賊戰，死之。（籌海圖編卷一〇、世宗實錄卷四二八）

○閏十一月，倭犯溫州之平陽，守備劉隆率兵禦之，遇賊於三港，敗績，隆及千戶劉綱，百戶張澄，指揮張登俱死。（嘉靖東南平倭通錄、籌海圖編卷六、一〇、世宗實錄卷四二九）

○川兵遊擊曹克新，擊倭於嘉定之高橋，賊……殺大渡河千戶李燦，成都衛指揮百戶鄭彥昇。川兵傷及溺死十四，諸軍奪氣。（世宗實錄卷四二九）

嘉靖三十五年

○正月，沙上賊屢犯沙口，……二十一日，尙都司等率兵薄其巢。與戰，敗績，參將尙允紹等十六官員死之，亡其卒千餘。（嘉靖東南平倭通錄、倭變事略、籌海圖編卷一〇、世宗實錄卷四三一）

○倭船二十餘艘，自浙江觀海登岸，攻慈谿，破之，殺鄉官副使王鎔，知府錢煥等，大略而出，軍民死者數百人。（嘉靖東南平倭通錄、世宗實錄卷四三四、光緒嘉興府志卷四二）

○百戶劉夢祥，與賊戰於崇丘，死之。（籌海圖編卷一〇）

○賊衆至海鹽北王橋，指揮徐行健率兵迎戰，……徐力戰，死之，兵覆百餘人。（籌海圖編卷一〇、

光緒海鹽縣志卷一二）

○徐玠，合肥籍。嘉靖丙辰，大艘倭寇登乍浦，進犯海鹽。行建率兵當之，腹背受敵，身被重創死。贈官立廟。（光緒嘉興府志卷四二、海鹽圖經）

○河朔兵有將軍宗禮，裨將霍貫道，鎮撫侯槐、何衡，遇賊，戰於皂林，死之。（倭變事略、籌海圖編卷一〇、世宗實錄卷四三四、光緒嘉興府志卷四二）

○賊犯嘉興，指揮程錄死之。（倭變事略、籌海圖編卷一〇）

○千戶沈宗玉、王世臣，與賊戰於金山江中，死之。（籌海圖編卷一〇）

○五月，巡檢劉岱宏，與賊戰於仙居縣東嶺，死之。（籌海圖編卷一〇）

○六月，百戶帥印，與賊戰於青村得勝港，死之。（籌海圖編卷一〇）

○七月，浙江巡按御史趙孔昭類奏：……倭犯兩浙前後官軍死事者……溫州府同知黃釗死，處州衛百戶方存仁死。（世宗實錄卷四三七）

○八月，官兵進搗沈莊賊巢，義勇劉進死之。（籌海圖編卷一〇）

○九月，百戶郎官，與賊戰於臨海縣兩頭門，死之。（籌海圖編卷一〇）

○官兵搗乍浦賊巢，士官汪相、向鑾死之。（籌海圖編卷一〇）

○十月癸巳，初，倭入慈谿，省祭官杜槐與其父文明，率兵追敗之於王家團，……與賊戰於白沙，一日戰十三合，殺賊三十餘人，斬其一酋。槐數被創墜馬死。時文明別將兵，擊賊於鳴鶴場，斬白眉倭帥一級，從七級，生擒望斗帥、陳福二賊。賊驚遯。已而復追賊，至楓樹嶺，以兵少無後繼陷沒。（世宗實錄卷四四〇、萬曆餘姚縣志卷一九）

以上所錄列者乃目前在臺灣所能見到之紀錄，由這些紀錄，當可瞭解官軍在此一時期因剿倭而傷亡之梗概。惟在此所舉者僅是衆多犧牲者之一少部分，其未見載籍的當遠較此爲多，否則便無需再三再四的從全國各地調兵遣將，來因應這個寇亂了。

五、因倭亂而傷亡之民衆

當寇亂發生之際固有許多將士因剿倭而殺身成仁，但一般民衆之因此喪失生命財產者，實遠較軍人爲多而此一事實無須贅言。故本節擬根據上舉各種文獻史料，以探討在此一時期之江南民衆因倭亂而傷亡之大致情形，並錄列當賊寇入侵之際，因不甘受辱而自絕之烈女們的事蹟，以彰顯其貞節。

(一)、民衆之傷亡：

嘉靖三十二年

○四月三日，遁賊沿北新塘而北，經白苧橋，就民家索食，由腹裏抵新行鎭，所過殺傷十數人。（倭變事略）

○初，賊執一民欲導出海口，怪引入腹內，殺之；復執民以髮貫耳鼻，曳而行。（倭變事略）

○五月十八日，賊數犯平湖，居民死者百餘人。（倭變事略）

○二十五日，……倭船二十七艘泊龍王塘，……賊攻（海鹽）城連三夕，……賊遂瀰漫四入，而城陷矣。屠戮淫劫，不勝其慘。（倭變事略）

○十一月，此上皆癸丑年事。吾鹽被寇者四，死者約三千七百有奇。（倭變事略）

嘉靖三十三年

○三月初八日，流賊二百餘，……餘黨流入硤石鎮，歷長安、臨平諸鎮，至餘杭去。惟此賊深入內地，殺掠甚慘，數百里內，人皆竄亡，困苦極矣。（倭變事略）

○賊由海鹽官塘直犯嘉興，……午間至錢給舍宅就食，殺農人三四，……入姜家，殺伯姪五人。一姪孩提宿床上，殺之，取血漬酒飲之。（倭變事略）

○四月十二日，賊自松江來者，二百十七人，經新行。……越數日，黃灣賊千餘，掠袁花鎮，焚劫甚慘。……抵澉浦，所過數十里無人煙。海寧大姓多罹其害。廟灣周氏有二庠生，執之，令負擔，不勝，釘手足於樹，殺之。抵朱家柵，宿其家。守港門賊，用布漬油裹長竿燃之，徹夜如晝。隨處節掠劫人口，男則導行，戰則令先驅。婦人晝則繰繭，夜則聚而淫之。（倭變事略）

○五月十一日，石墩賊攻澉浦城，……賊回壘不得志，殺男婦千餘以泄怒，見者悲痛。（倭變事略）

○十五日，石墩賊復為攻澉浦狀，……此黨賊留居吾土，凡四旬有三日，殺害數千人，蕩民產數萬家。（倭變事略）

嘉靖三十四年

○正月初三日，有避寇村婦數百，襁負幼小，齊渡西浦橋；值天雨，橋滑，皆棄兒匍匐以渡。河畔積孩屍甚多，悲號震野。賊掠出袁花鎮，載資錙重由黃道湖抵硤石。有先鋒六騎，按劍把截硤石口鎮。值年節，男皆酣飲，婦皆粧飾，不虞寇至。燹忽四發，煙塵蔽天，經三宿燼猶未熄，死水火者無算。遂西犯崇德，崇德因初築城未就，初九日攻陷之。執一儒學官，一縣尉，咸殺之。（倭變事略）

○五月二十六日暮，抵長安鎮。鎮爲四方通衢，其市民未四鼓，即啓門張燈，以待上下河所到客船。賊與漳人及所擄民，佯就店家買飯，飯畢，遂分入客店擊殺。鎮民騷動出避，傷者、死者塞途；樂土一旦丘墟矣。（倭變事略）

嘉靖三十五年

○四月己亥，倭船二十餘艘，自浙江觀海登岸，……軍民死者數百人。（世宗實錄卷四三四）

由以上所舉例子可知，倭寇不僅攻城掠邑，殺害文官武吏，及一般民衆，就連在床上睡覺的幼兒也不放過。因此，他們的暴虐行爲當然也及於一般婦女，而此種不幸事件的發生所在皆有。茲以《籌海圖編》及各地方志等所見婦女，因不願受辱而被害或自盡之情形，依其縣分之不同分別錄列如下：

(二)、烈　女：

嘉興縣

○六烈婦：全氏、周聰妻吳氏、沈茂華妻婁氏、汪志妻金氏、顧惠妻沈氏、吳銓妻費氏、徐胡妻皆

遇倭寇投水死。（四庫本浙江通志卷二〇四、萬曆嘉興府志）

海鹽縣

○傅橋妻朱氏：海寧朱天弘女。嘉靖三十五年正月，遇倭寇，欲污之，不從，抱幼子投虞溪橋下。倭以槍引之起，朱罵不絕口。輪槍戮之，貫其額顱，母子同死。（四庫本浙江通志卷二〇五；海鹽縣圖經）

石門縣

○朱阿妹：市民朱潮女。被倭劫至城隍廟橋。朱紿曰：「吾偕祖母來，有金可取」。倭信之，乘間投河，頭觸石柱死，祖母陸亦隨溺焉。（四庫本浙江通志卷二〇五、萬曆崇德縣志）

○姚菊香：市民姚縉義女。聞倭至，言笑自若，衆嗤之。菊香曰：「若輩第怕死耳，死何怕之有」？及倭至，抱其子自沉於河。數日，屍浮水面，母子相抱如生。（四庫本浙江通志卷二〇五、萬曆崇德縣志）

○陸道弘妻朱氏：年二十七，抱三歲遺孤匿一樓，為倭所獲，劫之行。氏紿倭，令抱其孤，下樓投井死。（四庫本浙江通志卷二〇五、萬曆崇德縣志）

○朱貴妻范氏：倭犯境，夫妻走避，猝與倭遇。倭揮刀殺貴氏。厲聲奮臂爪倭面，倭怒剖其腹，罵不絕口而死。（四庫本浙江通志卷二〇五、兩浙名賢錄）

○吳鑾妻戴氏：年二十五被倭執，將污之。以死力拒，身被數刃而死。（四庫本浙江通志卷二〇五、萬

曆崇德縣志）

烏程縣

○錢欽妻茅氏：賊犯烏鎮，氏與姑引舟猝遇之。賊業已擄姑，并欲及婦。婦時懷孕九月，又攜一幼男隨舟中。呼曰：「吾母子三人俱死矣」！即手抱男沉河而死。賊憤之，復抽刃剖其腹。御史疏其事於朝，敕爲立祠。（四庫本浙江通志卷二〇六、籌海圖編）

慈谿縣

○姜阿龍妻桂氏：桂阿寶女。方少艾，賊至，與衆婦走匿。馮氏闢室，室後有池，賊搜室，衆競赴池。賊以手挽之，桂絕袂而死。（四庫本浙江通志卷二〇八、籌海圖編）

○馮警妻張氏：年二十，歸警。六年，遇倭寇，偕姑竄匿。其夫爲寇所殺，張亟收夫屍殯葬。未數日，寇復至。張偕姑及妯娌，買舟逃至管山江，爲寇所及。張知不免，曰：「不死且污賊手，然馮之嗣不可絕也」。以幼子付其姑，偕伯之妾徐氏即沉於江。賊大驚異，遂捨舟中諸婦以去。（四庫本浙江通志卷二〇八、籌海圖編）

○沈氏六烈：章氏，沈祚妻；周氏，沈希曾妻；馮氏，沈信魁妻；柴氏，沈惟瑞妻；孟氏，沈弘量妻；孫氏，沈琳妻。沈爲慈谿思橋巨族，家觀海、鳴鶴之間。家衆至二千人，多驍黠善鬥。自嘉靖以來，海寇上烏山，燬鳴鶴，縱橫蹂躪。沈氏不惟自衛，且能殲其渠魁，奪其所掠，賊甚讎之。至是，賊大至，沈氏豪誓於衆曰：「無出婦女，無輩貨財，誓以死守，不能者先戮之」。章氏亦示於內曰：「男子死鬥，婦人死義，辱與死等耳」！衆婦皆悚聽。既而賊圍沈氏，群婦聚于一樓，賊散入戶。章氏遽出投於河，周氏、馮氏繼之。柴氏方爲夫礪刃，賊已斫戶入。柴即以刃所賊，旋自刃。孟氏、孫氏，娣姒爲賊所得，相持不放。奪賊刃自刺，皆死焉。思橋之難，沈宗婦死難者三十餘，其六人尤烈者也。（四庫本浙江通志卷二〇八、籌海圖編）

〇王氏二節：姜氏，余氏娣姒也，遭倭變，奔匿鄰圃。賊窺見二婦，拔刃迫之。余赴池死，姜被亂刃。（四庫本浙江通志卷二〇八、慈谿縣志）

〇茅氏女：年十四，父母亡，獨與兄嫂居。其兄瘵臥，賊入縣，嫂出奔呼之以行。女曰：「吾室女也，去將安之？俱去，孰爲扶兄」？賊至，遽縱火，女力扶其兄避於空室，俱被燔灼而死。二屍相攣焉。（四庫本浙江通志卷二〇八、籌海圖編）

〇錢應文妻朱氏：夫亡守志。嘉靖間，倭入寇。負姑匿空舍，四望俱燼，獨所匿處無恙。奉旨旌表。時有一女，初字尙美，衣飾，賊執欲污之。女詈曰：「汝賊也，吾爲儒家婦，豈從賊耶？速殺我，當以頸血濺汝」！賊怒，刀裂腹死，惜其名不傳。（四庫本浙江通志卷二〇八、嘉靖浙江通志）

奉化縣

〇竺欽妻陳氏：嘉靖丙辰（三十五年）五月，倭入奉化。氏少艾，與夫攜姑及女而逃。至徐家渡，倭追甚逼。陳度不能脫，言於姑曰：「辱而生，寧不辱而死」。遂令夫負其姑，自抱女，投水中死。（四庫本浙江通志卷二〇八、兩浙名賢錄）

鎭海縣

○傅烈女：嘉靖中，昌國傅梓女。年十七，美姿色，未嫁。寇猝至，家故瀕海，遂爲賊所得。女即以石自破其面，流血塗地，賊怒磔之。（四庫本浙江通志卷二〇八、籌海圖編）

○李烈女：昌國人。寇至，執而欲污之。李罵賊不屈，遂投河而死。（四庫本浙江通志卷二〇八、籌海圖編）

○葉小九妻嚴氏：爲賊所執，驅之而前。氏知不免，遂投河而死。（四庫本浙江通志卷二〇八、籌海圖編）

象山縣

○王憲維妻邱氏：賊劫西山，至憲維室。夜時分，賊欲污之。邱氏不從，執木棍擊之，中賊首。賊以刃刺其腹而死。（四庫本浙江通志卷二〇九、嘉靖浙江通志）

○俞衡妻王氏：島寇犯境，衡戰死。氏年甫十七，時孀姑在堂，幼子在抱。家故壁立，且暮治織紝，佐姑膳。姑歿，歲且儉，有奪之再醮者。抱子泣曰：「吾所不獲從，地下以此藐孤耳」。剪髮自誓，垂死，足不踰戶。（四庫本浙江通志卷二〇九、嘉靖浙江通志）

黃巖縣

○陳克諧妻解氏：名纍奴。年十五，倭寇犯境，克諧娶之以逃。至邑西霓橋，其姑分金授之曰：「賊至，當以贖命」。解泣曰：「有死而已」。及賊至，遂投河而死。（四庫本浙江通志卷二一一、

黃巖縣志）

天台縣

○陳音妻曹氏：年二十二，性嫻靜，寡言笑，事舅姑孝。嘉靖乙卯（三十四年）冬，倭寇入境，隨姑出避。與夫訣曰：「脫有不虞，有死而已」。既而遇寇，度不得全，遂投水中死。寇驚駭而去，其母王氏亦早寡守節。（四庫本浙江通志卷二二一、天台縣志）

○龐氏二女：龐貴女，年十六；龐豪女，年十五。嘉靖乙卯（三十四年）冬，倭寇殺略至溪畔，逐之急，俱投水而死。（四庫本浙江通志卷二二一、天台縣志）

以上所舉者，乃發生於嘉靖三十二年至三十五年之間，因受倭寇之寇掠而犧牲生命的江南地區居民，與在賊寇入侵之際，因不願受辱而喪生之婦女們，為保持己身清白而慷慨赴死的感人事蹟。在此所舉者，應該只是衆多例子中的一小部分，其未見載籍者，必定不少。

倭寇既劫掠東南沿海地區，公然抵抗官軍，殺擄一般男婦，焚燬官民廨舍，則不僅對當地人口造成重大的傷害，也必嚴重影響地方之治安。目前在臺灣因無法找到此一時期江南沿海地區人口變動的資料，故無法從統計數字來看其實際增減情形。雖然如此，卻可由此窺知當時因倭亂而戶口受損情形之端倪。

六、結　語

本文乃主要利用《明世宗實錄》、《嘉靖東南平倭通錄》、《倭變事略》，及各地方志等文獻史料，就討倭官軍將士之戰歿事蹟，及一般民衆與夫烈女們之傷亡情形，來探討嘉靖三十二年至三十五年這四年間，亦即徐海、王直等渠魁引倭入寇當時，對江南地區人口所造成之傷害情形。

當時官軍之所以傷亡慘重，固由於軍備廢弛，軍紀不振，軍心怯懦等因素所造成，例如嘉靖三十三年當時的南京兵部尚書張經等言：

國初洪武間，以倭夷不靖遣信國公湯和經略海防。凡閩、浙濱海之區，陸有成（一作城）守，水有戰舡，故百餘年來寇不爲害。其後法弛弊生，軍士有納料放班之弊。于是強富者散遣，老若者哨守，戰舡損壞，亦棄不修，以致寇得乘之而入。……南京營卒，逃故數多，適來倭寇震邦，防守缺人。（註四一）

同一時期的南京太僕寺卿章煥則言：

比者江南之變起于內地，游民利賊重貨，爲之鄉導。而我兵倉卒無備，徒手搏戰于溝塍（一作壑）沮洳之鄉，故每出輒敗。……今所患不在無兵，而在于兵之不畏將，新設軍門，止以空文遙制數千里外，如兒戲耳。……而郡縣之與督撫相視如客主，然臨變則上官漫之，而主者亦漫應之，軍情之苦樂不體，官帑之出入無稽。或一人兼數人之食，或數日無一餐之飽，或一家而數役迫之，或一人而數官臨之，是目睫間已成吳越，況百里之外哉！……（註四二）

兵部覆巡按直隸御史孫愼時更言：

浙江江北諸郡倭患方殷，蘇、松二三月間所在告急，皆經略失人，軍令不嚴所致。……（註四三）

上舉三則紀事俱可證明官軍頻頻失事的重要因素。至於官軍怯懦的情形，則可以下舉事例窺見其端倪。曰：

論南沙縱賊罪。革浙江提督海防副總兵湯克寬，備倭都指揮梁鳳職，俱帶罪立功。……初，賊自南沙出海，轉掠嘉定、上海間，克寬等莫敢前，但伺賊入海則督陸兵，登岸則督水兵，故與賊相左，以覩望塞責。於是巡按御史孫愼奏請逮至。（註四四）

當時官軍的軍備、軍紀、軍心既如此，自無法悉力征剿倭寇，官軍無法竭力平倭，一般民衆當然無法獲得他們的悉心保護。難獲應有之保護，則其傷亡必然慘重，被姦淫擄掠的慘禍也就一再出現了。

【註釋】

註一：《明太祖實錄》（本文所引《明實錄》爲中央研究院歷史語言研究所刊行之影印本），卷四一，洪武二年四月乙丑朔戊子條云：「陞太倉衛指揮僉事翁德……往捕未盡倭寇」。

註二：《明太祖實錄》，卷五三，洪武三年六月戊午朔是月條云：「倭夷寇山東，轉掠溫、台、明州傍海之民。……」

註三：《明太祖實錄》，卷七三，洪武五年五月丁未朔丁卯條。

註　四：《明太祖實錄》，卷七四，洪武五年六月丙子朔己丑條云：「命羽林衛指揮使毛襄、於顯，指揮同知袁義等，領兵捕逐蘇、松、溫、台瀕海諸郡倭寇」。癸卯條則云：「指揮使毛襄敗倭寇於溫州下湖山，追至石塘大洋，獲倭船十二艘，生擒一百三十餘人，及倭弓等器送京師」。

註　五：《明太祖實錄》，卷七五，洪武五年八月乙亥朔壬寅條。

註　六：《明太祖實錄》，卷八三，洪武六年七月庚子朔丙寅條。

註　七：《明史》（本文所引《明史》爲臺灣商務印書館百衲本），卷二〇五，〈朱紈傳〉。有關朱紈失位、自殺的經緯，詳於《明史》〈朱紈傳〉及同書卷三二二，〈日本傳〉。參看拙著〈明嘉靖間浙江巡撫朱紈執行海禁始末〉，收錄於鄭著《中日關係史研究論集》，五（臺北，文史哲出版社，一九九五年四月），頁一～三四。

註　八：《明世宗實錄》，卷三五〇，嘉靖二十八年七月戊辰朔壬申條。

註　九：同前註。

註一〇：同前註。

註一一：有關寧波事件的經緯，請參看鄭樑生，《明代中日關係研究》（臺北，文史哲出版社，一九八五年三月），頁三三四～三四八。

註一二：《明史》〈日本傳〉云：「(嘉靖)二十三年七月，復來貢。未及期，且無表文，部臣謂當不納，卻之。其人利互市，留海濱不去」。

註一三：參看鄭若曾，《籌海圖編》（四庫全書本），卷八，〈寇踪分合始末圖譜〉。

註一四：鄭舜功，《日本一鑑》（商務印書館據舊鈔本影印本，民國三十八年）〈窮河話海〉，卷六，「流逋」條云：「壬子，……賊首徐海，誘倭入寇浙海。自是浙海倭寇漸衆」。

註一五：鄭舜功，《日本一鑑》〈窮河話海〉，卷六，「流逋」條。

註一六：收錄於鄭樑生，《中日關係史研究論集》，七（臺北，文史哲出版社，一九九七年二月），頁一六七～二一七。

註一七：鄭樑生，《明史日本傳正補》（臺北，文史哲出版社，一九八一年十二月），頁五二六。

註一八：《明世宗實錄》，卷四〇〇，嘉靖三十二年七月乙巳朔戊申條。

註一九：《明世宗實錄》，卷四〇六，嘉靖三十三年正月壬寅朔戊寅條。《明史》〈世宗本紀〉，二、〈日本傳〉。許重熙，《嘉靖以來注略》（明崇禎六年序刊本），卷四，嘉靖三十三年正月條。有關明廷對江南倭寇所採的措施，請參看張時徹，《芝園全集》（明崇禎刊本），卷一，〈愼防守以安重地疏〉。

註二〇：徐階，《徐文貞公文集》（明崇禎刊本），卷一，〈論發兵征倭〉言李逢時等率山東兵三千赴江南之事云：「臣前日同臣（嚴）嵩等，因見浙江、南直隸等處撫按等官，奏報倭寇猖獗，蘇、松等府，通、泰等州，民遭焚劫，慘毒之甚。深惟財賦重地，前賊宜速剿滅。題請勅下兵部，會議兵糧等事。荷蒙聖明允行。隨該科道官各題要設官調兵。又該主事郭仁等，揭送兵部，要得戶部發銀，差御史一員，選募山東長槍手數千名，前去征剿。蓋以江南無兵，蘇、松尤甚，而長槍手勇悍可用也。今聞諸臣會議，率云此時發兵，比至則賊已去，空自勞費。兵部不能獨持，姑議令參將李逢時帶領山東存留民兵三千名前去。臣聞此兵係是入衛揀退之數，技能素劣，調去無用，大兵事，誠非臣書生所知。但稽諸往事，倭寇自去年以來，倏去忽至，迄無寧息。南沙盤據，歲餘始散。又據撫按奏報，或云來者未已，或云意不在搶而在擾；勢不欲去而欲留。彼身在地方，必有所見，今諸臣何以能必賊之已去？且能必其去而不來？而只以懸度，輒阻調兵，置江南於度外，此臣所以不能解也。凡用兵之道，使勢不容已，則當選擇精銳以異有功，使在可已，則雖精兵亦不當調以省勞費。今不能決可否之實，而姑以弱兵應文塞責，徒費無益，此又臣所不能解也。臣愚伏乞皇上再下令兵部令詰問諸臣，若於賊情果有眞見，保無他虞，則此三千之兵，亦不必調。若出漫說，則須別議精選，毋致空行，重貽君父南顧之憂。緣此事關係重大，臣不敢緘默，伏乞聖明裁斷」。此言三千而《實錄》紀爲六千，則似爲《實錄》之誤。

註二一：《明世宗實錄》，卷四一三，嘉靖三十三年八月乙巳朔癸未條；《明史》〈世宗本紀〉，二、〈日本傳〉。

註二二：《明世宗實錄》，卷四一三，嘉靖三十三年八月乙巳朔癸未條；《明史》〈世宗本紀〉，二。

註二三：采九德，《倭變事略》，卷三，嘉靖三十四年三月二十三日條。

註二四：崇禎《松江府志》，卷四九，〈兵燹〉云：「六月二十四日，川沙、柘林賊合艘劫掠杭州，計船七十八艘，由柳橋入巢據守」。

註二五：《明世宗實錄》，卷四二五，嘉靖三十四年八月癸亥朔辛未條。

註二六：《明世宗實錄》，四二七，嘉靖三十四年十月壬戌朔癸亥條；《明史》，卷二〇五，〈胡宗憲傳〉、卷二一二，〈俞大猷傳〉。

註二七：《明世宗實錄》，卷四二八，嘉靖三十四年十一月壬辰朔丙申條；何喬遠，《名山藏》（明沈猶龍刊本）〈臣林記〉，「俞大猷」條；許重熙，《嘉靖以來注略》，卷四，嘉靖三十四年十月條。

註二八：《明世宗實錄》，卷四二九，嘉靖三十四年閏十一月壬戌朔癸酉條。許重熙，《嘉靖以來注略》，卷四，同年同月條並見此事。

註二九：采九德，《倭變事略》，卷四，嘉靖三十五年二月二十六日條。

註三〇：《明史》〈日本傳〉。

註三一：鄭若曾，《籌海圖編》，卷五，〈浙江倭變紀〉。

註三二：參看許重熙，《嘉靖以來注略》，卷四，嘉靖三十三年五月條。

註三三：《明世宗實錄》，卷四四一，嘉靖三十三年六月庚午朔庚辰條；鄭曉《鄭端簡公奏議》（明崇禎刊本），卷二，〈乞收武勇亟議招撫以消賊黨疏〉。前此王忬在其擔任巡撫時，也主張招撫王直，而在其《王司馬奏議》，卷一，〈條處海防事宜仰祈速賜施行疏〉，「選良吏以清盜源」條云：「近聞積年渠魁，如寧波之王直，福清之李大用，飄泊波浪，巨有首丘之思。但自知罪犯重大，狐疑莫決。若奉有明命，密遣親信招之，許其束身歸投，或擒獲別賊解官，待以不死。來則可收爲用，不來可坐消狂謀，未必非致勝之一策也」。

註三四：《明世宗實錄》，卷三九九，嘉靖三十二年六月丙子朔壬辰條。

註三五：同前註書，卷四一〇，嘉靖三十三年五月庚子朔己酉條。

註三六：同前註書同卷同年同月丁巳條。

註三七：同前註書，卷四一七，嘉靖三十三年十二月丁卯朔甲戌條。

註三八：同前註書，卷四二一，嘉靖三十五年正月辛酉朔己丑條。

註三九：同前註書，卷四三二，嘉靖三十五年二月庚寅朔乙巳條。

註四〇：同前註書，卷四三三，嘉靖三十五年三月庚申朔戊辰條。

註四一：同前註書，卷四一〇，嘉靖三十三年五月庚子朔條。

註四二：同前註書，卷四一三，嘉靖三十三年八月己巳朔庚午條。

註四三：同前註書，卷四一〇，嘉靖三十三年五月庚子朔己酉條。

註四四：同前註書，卷四〇八，嘉靖三十三年三月辛丑朔條。

明代倭寇研究之回顧與前瞻

——兼言倭寇史料

一、前言

所謂倭寇，乃指從韓國之高麗朝至李朝，中國之元代至明代，由朝鮮半島至中國東南沿海之間肆虐的海寇集團而言。倭寇一詞，並非日方的稱呼，乃是被中國人或韓人意識爲日本人之海盜集團的總稱。倭寇兩字首見於《高麗史》高宗十年（南宋嘉定十六年，貞應二年，一二二三）五月條所記：「倭寇金州」。

前此以爲倭寇發生於南宋嘉定十六年（元太祖十八年），此一說法似已成定論。日本江戶時代（一六〇三～一八六七）學者松下見林，在其所輯《異稱日本傳》，卷中，《皇明資治通紀》，卷之二，洪武二年四月條，翁德平定倭寇之紀事後的按語謂：「倭寇之起，元至正十年，逋逃之徒竄於海島之間，乘亂不恐國禁，往中華、朝鮮沿岸之地，焚毀官廨，劫掠貨財，自此年年漸猖獗」，以爲倭寇發生於至正十年。田中健夫則根據《高麗史》，卷三七，忠定王二年（至正十年，日本正平五年，一三五〇）二月條所記：「倭寇固城、竹林、巨濟等處」而認爲「倭寇之侵始此」。至於倭寇兩字之被當作名詞使用，係在明洪武二年（一三六九）。（註一）

倭寇可析爲前後兩期：自十四世紀中葉起，至十六世紀中葉止，亦即從其開始發生於高麗始，至世宗嘉靖三十一年（天文二十一年，一五五二）止者爲前期；嘉靖三十二年以後至隆慶年間（一五六七～一五七二）肆虐者爲後期。發生於朝鮮半島的倭寇，使高麗窮於應付，終因此寇患而疲弊，斷送其國脈。

高麗方面的倭寇於不久後，在方國珍、張士誠的餘黨誘導下襲擊中國沿海郡縣，北自遼東、山東起，南至江浙、福建、廣東，逐漸受其侵害。中國方面的倭寇，初時只寇掠沿海地方，後來則與奸民狼狽爲奸，襲擊內地，輾轉肆虐而旁若無人，人民大受其害。嘉靖三十年代的倭寇爲其最猖獗時期。明廷爲釜底抽薪，乃用計消滅王直、徐海等渠魁，並用所有力量來打擊其餘黨。迄至萬曆年間（一五七三～一六一九）豐臣秀吉侵略朝鮮之事告終，德川幕府（一六〇三～一八六七）統一日本，使其國內復歸平靜後，中國方面的倭寇方纔逐漸退去而得鬆一口氣。

明代倭寇曾經騷擾中國東南沿海地方長達兩百年之久，研究這方面的問題者頗不乏人。他們各有獨自的看法，值得傾聽的見解亦復不少。下文擬就此一學術領域的研究情形作一番介紹，兼言今後探討這方面的問題時應走的方向。至於騷擾朝鮮半島方面的倭寇問題，與豐臣秀吉發遣大軍入侵朝鮮的問題研究，則姑且不談。

二、日本學者的倭寇關係論著

直到目前爲止，日本學者有關倭寇問題研究的論著，絕大多數都將其重點放在問題的個別研究，尤其將論述的焦點朝向倭寇的起因與其組成分子方面，故其能將發生於明代的大寇亂作整體把握者，可謂絕無僅有。雖然如此，要把那些論著都一一加以錄列，或一一加以過目，誠非易事。因此，在此擬就筆者過去所寓目近百種日本學者在十九世紀末以後發表者，作簡單的介紹。

1.菅沼貞風，《大日本商業史》（東京，東邦協會，明治十七年）

本書由總論，卷一，太古時代；卷二，上古時代，即差派遣唐使與停派遣唐使後的時代；卷三，中古時代，即海盜時代；卷四、五、六爲近古時代，分上、中、下三部分來論述日本與歐洲之間的貿易。其有關倭寇問題者爲卷三的海盜時代。此書在昭和十五年（一九四〇）附錄菅沼本人之〈變小爲大轉敗爲勝新日本圖南の夢〉，由東京岩波書店發行。

2.星野恆，《史學叢說　第一集》（東京，富山房，明治四十二年）

本書論述日本海盜之顚末與海軍之沿革，亦即言：日本在其南北朝（一三三六～一三九二）以後稱海軍爲海盜的緣由；奈良時代（七一四～七八四）以後，日本內地的海盜，與南北朝時代的海盜（倭寇）之入侵朝鮮及中國的情形；八幡船；自神代以來之建造船舶與海盜之狀況，以及何以「某某丸」的方式來爲船舶取名之理由等。

3.日本歷史地理學會，《日本海上史論》（東京，三省堂，明治四十四年）

本書係論文集，所錄論文凡十七篇，執筆者俱爲當時日本之著名學者。其有關海盜問題的篇什爲喜田貞吉之〈王朝の海賊〉，久米邦武之〈海賊と關船〉，渡邊世祐之〈日明の交通と海賊〉。前兩篇言發生於日本國內之海盜，渡邊之論文則是探討明代倭寇問題者，對當時的倭寇問題有其獨到的見解。

4.三浦周行，《日本史の研究》，第二輯（一九二二）所收錄之對外關係史論文（東京，岩波書店，大正十一年）

三浦論著的特點，在於史料的運用，與大局觀方面有其獨到之見解。尤其在《堺市史》（一九二九～一九三〇）中，將商賈從事海外貿易之活動，與日本國內之動向的關係結合在一起，以詳細探討、闡明當時中日兩國間的貿易關係，及足利義滿與其子義持對明外交的態度。並且探討日本與李氏朝鮮之間的貿易，它們兩國間的離合，日本人在朝鮮的居留地三浦，朝鮮軍襲擊對馬——應永之外寇，以及豐臣秀吉入侵朝鮮——壬辰倭亂等問題。

5.辻善之助，《增訂海外交通史話》（東京，內外書籍株式會社，昭和五年）

本書乃廣泛蒐集日本國內之史料而加以利用。它所探討的年代並不侷限於明代，所考察之層面也不限於貿易方面而亦從文化方面來探討。其有關倭寇問題者爲第十四〈元明交通と倭寇〉。本書之遣詞造句，往往有強烈表示其民族自尊心和民族優越感之處，而甚少利用中國方面的文獻史料。

6.秋山謙藏，《日支交涉史話》（東京，內外書籍株式會社，昭和十年）

本書是作者的論文集，故每一篇什獨立而不相聯貫。其與倭寇有關者爲〈朝鮮使節の觀たる中世日本の商業と海賊〉、〈日明貿易と日本國王〉、〈倭寇の支那人掠奪と謠曲唐船〉、〈支那人の海寇〉、〈倭寇と支那人の中華思想〉、〈ばはん・八幡船・倭寇〉、〈支那人の畫く日本地圖の變遷〉、〈支那人の日本研究〉等。其特色在於將視野擴及於當事兩國以外的三個國家以上之東亞國際關係來考察，同時也顧及此一交通與日本國內經濟之關聯。惟書中措辭往往表現其民族自尊心與優越感。

7.瀨野馬熊，《瀨野馬熊遺稿》（昭和十一年）

此《遺稿》主要論述日本與朝鮮之間的關係，其與中國有關之篇什爲〈正統四年桃渚の倭寇に就いて〉。所謂正統四年（一四三九）的倭寇，就是指倭寇於本年五月一日在浙江登岸，侵犯桃渚千戶所，殺擄人民的事件。因千戶穆晟虛張賊數，掩匿失機；都指揮同知張翥，都指揮僉事朱興，巡海御史李奎等不能相機追捕，反擁兵自衛，致受巡按浙江監察御史房盛（一作威）者。《明英宗實錄》，卷五五，同年月日條有相關紀錄可資查考。

8.藤田元春，《日支交通の研究——中近世篇》（東京，富山房，昭和十三年）

本書書名雖標示「日支交通」，然其所探討之範圍擴及於琉球、南越、暹羅以及日本近世之北地探險，與在日本海方面造船的問題。故其眞正涉及倭寇問題的篇什爲：〈室町時代の遣明使〉、〈明人の日本地理〉。室町時代（一三三六～一五七三）相當於中國元末至明末，乃屬日本國內局勢不甚安定的時代。故當時有不少人士鋌而走險，成爲倭寇者。

9.秋山謙藏，《日支交涉史研究》（東京，岩波書店，昭和十四年）

本書除〈序說〉、〈結論〉外，共分成六篇來論述中、日兩國間的交通問題。其與倭寇有關者爲第五篇與第六篇，作者在此探討倭寇之進出與農民之掠取，禁遏倭寇與調整貿易，室町時代的中日交通與倭寇，送還被倭寇所擄中人及朝鮮人問題與貿易之開展，日本對外貿易之開展與其大名之成立，室町幕府與中國之交通，細川、大內兩氏在對華貿易方面的爭鬥，勘合貿易與走私貿易，倭寇之活動與私販的關聯，中國人之重新認識日本。書中亦往往表現出作者之民族自尊心與優越感。

10.竹越與三郎，《倭寇記》（東京，白揚社，昭和十四年。增補版）

本書對倭寇之起源，倭寇所使用之船隻，倭寇之特性，倭寇寇掠中國東南海各州縣的目的、缺點，日本室町時代的幕府、佛教寺院、守護大名等所從事中、日貢船貿易之情形，幕府第三任將軍足利義滿對這種交通方式所表示的態度，以及幕府將軍從貢船貿易所能獲得之利益等問題，均作概略性論述。此爲日本學者在二次世界大戰前探討明代倭寇問題的鉅著。

11.小葉田淳，《中世日支通交貿易史の研究》（東京，刀江書院，昭和四十四年。再版）

本書係利用中日兩國之文獻史料，及利用韓國《朝鮮王朝實錄》之若干資料，深入考察明代中日兩國間的貿易，與由此貿易所衍生之問題。而對日方遴選使節的經緯，使節團之組成方式，貢船之大小，貢使在中國期間的一切活動情形，和明朝對他們的一切供應等，也都有相當詳盡、深入的探討而無人能出其右。惟就如其書名所示，係以貿易問題爲探討重點，故其有關倭寇方面的，只有寧波事件而已。

12.登丸福壽．茂木秀一郎，《倭寇研究》（東京，中央公論社，昭和十七年）

本書分爲三部分：第一篇論述有關倭寇的一般問題，華中倭寇的盛衰與此一地區的倭亂。第二篇論述明廷爲預防與禁遏倭寇之騷擾所採取的外交工作，及其在海上、沿海地區與內陸地區所採防禦措施，及明軍的編制與裝備。第三篇論述浙江巡撫朱紈執行海禁的情形，與浙江財閥的產生，倭寇與華僑之間的關係，倭寇與中國的抗日宣傳等。卷末則附浙江總督胡宗憲用計消滅徐海、陳東、麻葉、王直等渠魁的經緯，及「倭寇史蹟表」與「倭寇大事年表」，以供讀者參考。

13.小葉田淳，《史說日本と南支那》（東京，野田書房，昭和十七年）

作者在此首先論述：從歷史上所見日本與福建之間的關係，次言明代漳州、泉州人之通商海外與其發展情形，尤其著重於隆慶元年（一五六七）開放部分海禁以後，在海澄所實施餉稅制與明代中、日兩國貿易的關係。再次言福建人在近代中日交通裏所扮演的角色，尤其在文化上有貢獻的人物，及明廷爲接待琉球貢使所設福州柔遠驛，日本與潮州、汕頭地區的往來情形等。

14.西村眞次，《日本海外發展史》（東京，東京堂，昭和十七年）

本書所探討的範圍既廣泛，時間也自日本的原始時代開始，至十九世紀中葉止。其與倭寇發生關聯之篇什爲日本人向外「侵寇的時代」，亦即：〈倭寇的發生〉，作者在此論述日本南朝征西府將軍懷良親王與明太祖之間的強硬外交，足利（室町）幕府自其第三任將軍足利義滿以下歷任將軍對明朝的軟弱外交，倭寇終使高麗滅亡，半賊半商主義之朝鮮貿易，日本人士對明帶有恐嚇性質的貿易，八幡船之侵掠等。

15.市村瓚次郎，《東洋史統　卷三》（東京，富山房，昭和十八年）

本書從十四世紀蒙古、高麗之式微論起，然後探討倭寇發生的問題，安南的情勢，南倭北虜之騷擾中國與安南、緬甸的形勢，以及明朝內部的問題。卷末則論述朝鮮王朝之隆替、明、日、朝三國間的相互關係等。

16.宮崎市定，《日出づる國と日暮るる處》（東京，星野書店，昭和十八年）

本書所論述與明代倭寇關之篇什爲：〈倭寇之本質與日本之南進〉，內容包括：明朝之海禁與其由來，市舶司貿易之變遷，走私貿易之根據地，明廷對沿岸貿易的大鎮壓，對王直所作調停之失敗，倭寇入寇的動機，貿易根據地的南進，寇亂中心轉移到閩、粵的問題，關於是否准予開市的爭議，知日派政治家鄭舜功，步向朱印船貿易（註三）時代等。又，本書被收錄於其所著《アジア史論考》上冊（朝日新聞社，昭和五十一年）。

17.村田四郎，《八幡船史》（東京，草臥房，昭和十八年）

本書將海盜析爲五期來論述：作者以爲第一期海盜乃自然發作者，係屬內海之賊。第二期海盜爲受外寇刺激引起之反動。第三期爲因內訌引起之餘波。第四期屬慣性運動。第五期則是回光返照振餘威。其與中國有關者爲第三、四、五期的海盜。文中附五幀〈八幡船年表〉。

18.秋山謙藏，《東亞交涉史論》（東京，第一書房，昭和十九年）

本書分爲五篇，其與倭寇有關者屬第三、四兩篇。第三篇論述〈昔日的大東亞圈〉，內容包括：女眞船之漂流至日，朝鮮使節之赴日，中國的花瓶，琉球的宗教，ばはん船與八幡船，發現臺灣島，中國的海盜。第四篇探討〈中國史上所見之日本觀〉，內容包括：中華思想與夷狄思想，中國古代的日本觀，大化革新前後的日本觀，奈良、平安期的日本觀，忽必烈征日前後的日本觀，中華思想之昂揚與日本觀，中華思想之動搖與日本觀，中國人之日本研究等。

19.石原道博，《東亞史雜考》（東京，生活社，昭和十九年）

本書內容包括：大東亞共榮圈與倭寇，攻掠閩、粵之倭寇，攻掠海南島之倭寇，《禦侮儲言》所見之倭寇，南進之倭寇等。

20.長沼賢海，《日本の海賊》（東京，至文堂，昭和三十年。日本歷史新書）

本書從日本海盜之發生開始談起，然後論及瀨戶內海航路的發達與此一海洋的盲點，海盜的特性，海盜藤原廣嗣與朝廷命官藤原純友之間的關係，宗像氏之向海發展，海盜松浦黨之組織，松浦海盜之聯盟與規約，海盜大將軍，海盜城與海盜，因島之本主村上氏，野島之海內將軍村上氏，海盜之戰法等。其中與明代倭寇有關者爲松浦海盜和村上氏，此兩者被視爲倭寇之源頭。

21.稻村賢敷，《琉球諸島における倭寇史跡の研究》（東京，吉川弘文館，昭和三十二年）

本書共分三篇，第一篇首論倭寇的起源，次言前期倭寇，再次探討日本室町時代的明、日勘合貿易與倭寇所關聯的問題，然後說明後期倭寇，尤其是嘉靖年間倭寇侵掠的概要。第二篇論述琉球宮古島的上比屋山、宮國村附近、川滿部落附近、保良島等地的倭寇遺跡，與其研究情形。第三篇考察八重山諸島，亦即石垣島中間丘、竹富島牛岡、波照間島、西表島等地之遺跡。

22.田中健夫，《中世海外交涉史の研究》（東京，東京大學出版會，一九五九年）

本書主要利用日韓兩國之文獻史料來探討倭寇之變質情形，及日、朝兩國貿易之開展；博多商人對此一貿易所作活動，朝鮮世宗朝的日、朝兩國交通；此一時期之對馬島與宗氏勢力之擴張；遣明貿易家楠葉西忍與其族人；釋瑞溪周鳳《善鄰國寶記之成書背景》；日本中世的日、朝兩國貿易權之變遷；鄭若曾《籌海圖編》之成書問題；及日本中世海盜史研究之動向等。故其重點放在日、朝兩國方面，對中國方面的倭寇問題的論述不多。

23.田中健夫，《倭寇と勘合貿易》（東京，至文堂，一九六一年。日本歷史新書）

本書對前期倭寇發生的原因，發生的時期，根據地與其組織，前期倭寇的瓦解與中國方面的倭寇之關聯；中日勘合貿易體制的成立，日本遣往明朝之貿易船隻的開展與其崩潰，日本南海貿易的盛衰，明朝海禁政策的破綻，後期倭寇，亦即發生於中國方面的倭寇之消長等問題，俱能作深入探討，其論點之值得傾聽者甚多，不過有關倭寇發生的原因，則不無令人存疑之處而有待商榷。

24.石原道博，《倭寇》（東京，吉川弘文館，昭和三十九年。日本歷史叢書）

本書首論倭寇問題之所在，次言倭寇之殘暴問題，在此作者分別論述有關倭寇殘暴問題的中國方面的肯定、憎惡論，與日本人士的不理睬、粉飾論。然後重新檢討對倭寇的看法。作者認為倭寇有眞倭、僞倭、假倭、裝倭，遞貢遞掠之陽商陰寇。並且認為倭寇雖殘暴，有時也會露出其些許溫情，而官軍的殘暴，與中國衣冠之盜，也加重了倭患的災害。至於後期倭寇的開展，既有大姓、達官、勢豪參與其間，也有為擺脫鄉紳、豪商階層之羈絆以自立的中小集團階層之抵抗，而帶有與之相呼應的民衆之反官、反權力的特性在。卷末則附「倭寇關係地圖」供讀者參考。

25.呼子丈太朗，《倭寇史考》（東京，新人物往來社，昭和四十六年）

本書首言倭寇之興起與其採取軍事行動的必然性，然後轉移到政治活動的趨向。次言以高麗、朝鮮為舞臺的倭寇，與李朝文獻所記倭寇與貿易的問題。再次論及發生於中國的倭寇之實態，與明嘉靖年間的倭寇之實態，豐臣秀吉之以大倭寇姿態向外侵略時代的情形，以及有關倭寇問題的探討與考證。卷末言流傳今日的倭寇遺聞，與倭寇史在今日所具有的意義等。文末轉錄鄭若曾《籌海圖編》卷八〈寇踪分合始末圖譜〉，及〈倭寇進出地圖〉。

26.森克己．田中健夫編，《海外交涉史の視點》，一（東京，日本書籍株式會社，昭和五十年）

編者編輯此書的目的在指引有意從事研究明代中、日、朝、琉四國關係，尤其有關倭寇問題者，提供今後所應走的方向。其有關中國方面的是：當時的東亞各國究竟被如何納入明朝的朝貢、海禁體制？前期倭寇的活動情形如何？他對中、朝兩國到底造成怎樣的影響？爲實施勘合貿易，究竟有過怎樣的努力？明廷如何處置日本貢船？勘合貿易的實態如何？後期倭寇的活動情形又如何？等。其餘則屬朝鮮、琉球方面的。

27.長沼賢海，《日本海事史研究》（福岡，九州大學出版會，昭和五十一年）

本書分爲四篇：第一篇，大船迴法研究；第二篇，大船迴法奧書集成；第三篇，松浦黨及門司氏等諸氏研究；第四篇，補論——島津氏之南方交通，國際混血兒，箱崎及大山崎油座。其與明代倭寇有關之篇什爲第三篇。長沼氏於昭和三十二年出版的《松浦黨の研究》（九州史學叢書），被收錄於本書第三篇。

28.石井正敏・川越泰博輯，《日中・日朝關係研究文獻目錄》（東京，國書刊行會，昭和五十一年）

此《文獻目錄》所輯錄之論著目錄，除文學、史學、哲學外，也還收錄考古、政治、外交、宗教、經濟、法學、建築、軍事、音樂、美術、工藝及其他各方面，所以是綜合性的。其編排方式則係按日本假名之先後次序來排列著者姓名，然後依各該作者所發表的先後錄列其著作名稱、出版處所、出版年月及卷第等而易於查尋。

29.每日新聞社，《遣明船と倭寇》（每日新聞社，昭和五十四年。《圖說人物海の日本史》，三）

本書爲集體創作，其內容爲：永原慶二〈足利尊氏と足利義滿〉，三浦圭一〈楠葉西忍と策彥周良〉，長部日出雄〈大內義弘〉，宇田川武久〈瀨戶內水軍〉，佐久間重男〈王直と徐海〉，瀨野精一郎〈松浦黨〉，柴辻俊六〈武田水軍〉，田中健夫〈時代解說〉，石井謙治〈船と航海の歷史〉，尾崎秀樹〈歷史文學と海〉及其他等，都與明代倭寇有關。

30.田中健夫，《倭寇》（東京，教育社，一九八二年）

本書分別探討十四、五世紀倭寇與十六世紀倭寇之差異，產生倭寇的環境，朝鮮半島上的倭寇之變質與瓦解；十四、五世紀之倭寇與元、明兩王朝，及此一時期倭寇之銷聲匿跡；十六世紀倭寇的蠢動，與其活動之特質；明朝的對倭政策，以及中國人所見十六世紀之倭寇與日本等問題。並且在書後附有〈參考文獻〉，以供有志於研究此一學術領域者之參考。

31.村上護，《日本の海賊》（東京，講談社，昭和五十七年）

本書探討日本海賊的各種面貌，島國日本的形勢，日本海賊與北歐海賊（Viking，viking）的相通性，古代日本人的向海洋發展，渡過朝鮮海峽的日本船舶，拓展制海權的熊野海賊，日本南朝水軍的積極活動，倭寇之襲擊朝鮮，九州松浦黨何以發誓禁遏海寇？織田水軍與門徒海賊之決戰，及瀨戶內海的海賊——三島村上海賊誌等。此乃作者從日本史探討活躍於南北朝（一三三六～一三九二）及戰國時代（一四六七～一五六七）之亂世海賊，故係一部以海賊社會史爲主題之論著。由此當可瞭解十四世紀中葉以後騷擾，侵略高麗、朝鮮及中國東南沿海地區的倭寇之發祥地，與其本來面目。

32.湯谷稔，《勘合貿易史料》（東京，國書刊行會，昭和五十八年）

本書乃將中、日兩國文獻中有關明代中日貢船貿易方面史料編輯而成，並按當時至中國時期的前後次序排列。卷末附〈日明勘合貿易年表〉與〈遣明交通路〉，且在處處附記各該使節人員到達之日期，以供讀者之參考。

33.佐久間重男，《日明關係史の研究》（東京，吉川弘文館，一九九二年）

本書乃從作者任教於北海道大學及青山學院大學的四十年間所撰寫衆多論文中，選出有關明代的對外貿易及對日關係之十數篇論文，予以若干修正或補訂而成。其內容分〈序論〉、〈本論〉、〈終論〉三大部分。〈序論〉探討明代的基本方針，及它與歷代王朝的不同處，可視爲明代對外方針之特色的朝貢貿易與禁海政策，到底意味著甚麼？此乃從制度史上考察其意義與內涵而成篇。〈本論〉共有兩篇：第一篇考察明代前期中日兩國在政治、外交上所發生的問題究竟如何發展，或變遷？對日本朝貢貿易的設限到底如何產生等。第二篇探討：在明朝海禁體制下，中國海商之從事私販者日多，而部分日本人也加入其行列，終於引起所謂嘉靖大倭寇。迄至隆慶元年（一五六七）開放部分海禁，外貿商人可以漳州海澄爲中心，往販東西兩洋的經緯。〈終論〉論述明初以來所實施朝貢貿易，與後期施行的民間貿易政策。

34.松浦章，《中國の海賊》（東京，東方書店，一九九五年）

本書分別論述海盜之虛像與實像，漢代至南北朝時代的中國早期海盜，唐、宋、元時代的海外貿易之發展與海盜，明代倭寇與中國海盜，明末清初的臺灣海盜，清代南海的海盜之叛亂，生存於現代的海盜，及中國史上的海盜等。其所探討有關明代倭寇問題者，係考察倭寇與海禁政策，鄭和下西洋，明朝海禁政策的破綻，嘉靖大倭寇，倭寇所求取的，中國人的海寇，被倭寇所擄的中國人，明末海寇，及企圖掌握制海權的毛文龍等。

以上所錄列者俱爲專著，它們的內容涵蓋各個層面，値得我們參考者不在少數。至於單篇論著，其篇什既多，値得我們參考者亦復不少，茲將管見所及者錄列於後（已被收錄於上舉專著者則不再錄）：

1.小宮山綏介，〈倭寇の始末〉（國學院編，《國史論集》，明治三十六年）

2.後藤肅堂（秀穗），〈倭寇軍船考〉（《日本及日本人》，五〇九，明治四十二年）

3.後藤肅堂，〈鐵砲論傍係の一重要問題〉（《歷史地理》，二十四卷五號，大正三年）

4.後藤肅堂，〈予が見たる倭寇〉（《歷史地理》，二十四卷一～二號，大正三年）

5.池內宏，〈明初に於ける日本と支那との交涉〉，一～四（《歷史地理》，六卷五～八號，大正三年五～八月）

6.後藤肅堂，〈膠州灣を中心としたる山東の倭寇〉（《史學雜誌》，二十五編二號，大正三年）

7.柏原昌三，〈日明勘合貿易における細川大內二氏の抗爭〉（《史學雜誌》，二十五編九號～二十六編三號，大正三年～四年）

8.後藤肅堂，〈倭寇の說明する我が國民性の一角〉（《史學雜誌》，二十六編一號，大正四年）

9.後藤肅堂，〈最も深く內地に侵入したる倭寇の一例〉（《歷史地理》，二十五卷一號，大正四

年）

10.後藤肅堂，〈倭寇詩史〉（《歷史地理》，二十五卷六號；二十六卷一～二號，大正四年）
11.後藤肅堂，〈倭寇時代における日韓漢の貿易品〉（《東亞經濟究》，五卷一號，大正五年）
12.後藤肅堂，〈姑蘇城外に於ける倭寇〉（《史學雜誌》，二十七編二號，大正五年）
13.後藤肅堂，〈倭寇史上に於ける支那の都市〉（《歷史地理》，二十七卷五號，大正五年）
14.幣原坦，〈倭寇に就て〉（《續史的研究》，大正五年）
15.後藤肅堂，〈西力東漸と倭寇〉（《歷史地理》，二十九卷一、二、六號；三十卷二號，大正六年）
16.後藤肅堂，〈海國民としての倭寇〉（《歷史と地理》，四卷一號，大正八年）
17.柏田忠一，〈倭寇と江蘇省〉（《東亞研究會會報》，一，大正八年）
18.柏原昌三，〈日明勘合の組織と使行〉（《史學雜誌》，三十一編四～九號，大正九年）
19.後藤肅堂，〈倭寇王王直〉，一～三（《歷史地理》，五十卷一、二、四號，昭和二年）
20.秋山謙藏，〈「倭寇」による朝鮮支那人奴隷の掠奪とその送還及び賣買〉（《社會經濟史學》，二卷八號，昭和七年）
21.有馬成甫，〈村上水軍と倭寇〉（《國史學》，二十一，昭和九年）
22.中山久四郎，〈倭寇史說〉（《日本精神史講座》，八，昭和九年）

23.佐久間重男，〈明代の外國貿易——貢船貿易の推移〉（《和田博士還曆記念東洋史論叢》，昭和二十六年）

24.石原道博，〈不征國日本について〉（《史學雜誌》，六十一編十二號，昭和二十七年）

25.佐久間重男，〈明代海外私貿易の歷史的背景——福建省を中心として〉（《史學雜誌》，六十二編一號，昭和二十八年）

26.佐久間重男，〈明朝の海禁政策〉（《東方學》，六，昭和二十八年）

27.佐久間重男，〈中國の或る貿易商〉（《歷史家》，創刊號，昭和二十八年）

28.石原道博，〈中國における畏惡的日本觀の形成〉（《茨城大學文理學部紀要（人文科學）》，三號，昭和二十八年）

29.田中健夫，〈籌海圖編の成立〉（《日本歷史》，五十七號，昭和二十八年）。

30.片山誠二郎，〈明代海上密貿易と沿海鄉紳層〉（《歷史學研究》，一六四號，昭和二十八年）

31.中村久四郎，〈倭寇の眞相〉（《歷史教育》，二卷八號，昭和三十年）

32.片山誠二郎，嘉靖海寇反亂の一考察——王直一黨の反抗を中心に〉（《東洋史學論集》，四號，昭和三十年）

33.片山誠二郎，〈明帝國と日本〉（筑摩書房，《世界の歷史》，十一，昭和三十一年）

34.柴田卓郎，〈倭寇と元・明〉（《歷史教育》，八卷九號，昭和三十五年）

35.片山誠二郎，〈月港「二十四將」の反亂〉（《清水博士追悼記念名代史論叢》，昭和三十七年）
36.小葉田淳，〈勘合貿易と倭寇〉（《岩波講座日本歷史》，七，昭和三十八年）
37.佐久間重男，〈明初の日中關係をめぐる二、三の問題——洪武帝の對外政策中心をとして—〉（《北海道大學人文科學論集》，四，昭和四十年）
38.佐久間重男，〈永樂帝の對外政策と日本〉（《北方文化研究》，二，昭和四十二年）
39.太田弘毅，〈倭寇時代の日本の船舶——《武備志》の記載を中心に〉（《藝林》，十八卷六號，昭和四十二年）
40.田中健夫，〈明人蔣洲の日本宣諭〉（《對外關係と經濟事情》〔書房〕，昭和四十三年）
41.石原道博，〈日明貿易〉（《歷史教育》，十八卷四號，昭和四十五年）
42.佐久間重男，〈明代中期の對外政策と日中關係〉（《北海道大學人文科學論集》，八，昭和四十六年）
43.太田弘毅，〈倭寇の水・米補給について〉，上、下（《海事史研究》，十九號，昭和四十七年）
44.太田弘毅，〈倭寇防禦のための江防論について〉（《海事史研究》，六十四號，昭和四十七年）
45.玉村竹二，〈囚はれの明人張德廉〉（《日本禪宗史論集》，上冊，昭和五十一年）
46.佐久間重男，〈嘉靖海寇史考——王直をめぐる諸課題〉（收錄於《星博士退官記念中國史論集》，昭和五十三年）

47.佐久間重男，〈中國嶺南海域の海寇と月港二十四將の反亂〉（《青山史學》，五，昭和五十三年）

由上舉論著可知，日本學者們有關明代倭寇問題的研究，大都論述一般性的，對於此一寇亂究竟給中國造成怎樣的影響問題，並未加以探討，這未嘗不是一件憾事。那麼，中國學者的研究成果如何？下文擬列舉論著名稱，以觀其概。

三、中國學者的論著

中國學者有關倭寇問題的著作在十六世紀中葉，亦即在倭寇尚未殄滅的明嘉靖（一五二二～一五六六）四十年代已開始問世，此可能因當時東南沿海地區所受災害嚴重使然。由於當時將寇害紀錄下來的，如非直接參與剿倭的，就是耳聞目睹其事的，或為宣諭日本而遠涉重洋前往彼邦的，故其著作可謂信而有徵，提供了後人研究相關問題的寶貴資料。惟其間亦有因只記事件發生的年分而未言明月日的，致在引用時難免發生困擾，這未嘗不是憾事，這類著作如不參考其他相關文獻，就很難把事情的先後弄清楚了。茲將中國學者在民國以後所撰此一領域的相關著作錄列如下：

1.黎光明，《嘉靖禦倭江浙主客軍考》（北京，哈佛燕京學社，民國二十二年。《燕京學報》專號之四）

分上、下兩篇。上篇論明以武功定天下，革元舊制，自京師以至於州縣，都設衛所，外統郡司，內統之於五軍都督府。（註四）當時東南沿海各州縣爲防倭寇寇掠，故其設防也較完備。惟時間一久，海防鬆弛，沿海衛所之部隊腐敗，難於應付倭寇之來襲，故不得不調客兵禦倭。然客軍之害並不亞於倭寇，所以有停止調兵之論。作者又論及練鄉兵之辦法與其成效，和軍餉之籌措與經理人之問題。下篇論狼兵、土兵、北方兵、南方兵、僧兵、水軍、其他雜軍等。卷末附〈嚴家兵考〉。本書非僅就當時的主軍與客軍對討伐倭寇之問題作一深入探討，並能利用方志來立論。

2.陳懋恒，《明代倭寇考略》（北京，哈佛燕京社，民國二十二年。《燕京學報》專號之六）

本書論述倭寇之來源，倭寇之組成分子，倭寇猖獗之原因，東南沿海各省之倭禍及其寇掠情形，倭寇之首領，倭寇之伎倆，倭寇之敉平等。誠如書名所示，它對當時倭寇肆虐的情形並未作深入探討。故讀者只能從中獲得其騷擾中國之一端。本書曾於民國四十六年（一九五七），由北京人民出版社重刊。

3.王婆楞，《歷代征倭文獻考》（南京，正中書局，民國二十九年）

作者於〈例說〉記編輯本書方式云：「本書分六章：曰德化，曰向化，曰攜貳，曰力征，曰戡患，五者爲大概區分；各時代因緊果累，皆多連鎖關係。六曰制義，自成一章；以前者之未許闌入，又屬皇皇大著，故以目所及者序時代而編次」。又云：「事實率先於文獻，將文獻以證事實；……制詔則居中臨外，語氣囂張；奏議則泛陳利弊，難窺端末；藝文如詩歌傳序，又多抒情譽美之作也。若以當事人而爲身歷境地語，如錢世楨《征東實紀》；當局人而爲緝實策致語，如許孚遠〈請計處倭酋疏〉；

當患人而爲審時制變語，如歸有光〈備倭事略〉及〈備倭議〉；當權人而爲懲前善後語，如胡宗憲海防十四論等文，直可拱璧視之。征倭文獻之採錄，舍是奚由」？本書所記雖始自周代，但以明代倭寇問題所佔篇幅最多，約居全書三分之二。由此一著作當可獲知如下事實：即湯和沿海設衛，金山衛與瀏河口並爲重鎮，老成遠慮，使人深長思之。倭寇之與漢奸，狼狽爲患，即朱紈所謂瀕海之盜與衣冠之盜。其後徐海、王直見剿，而倭亦戢其鋒；由今思昔，內奸亟待肅清。觀《鹽邑志林》及《平湖志》與諸家筆記所載，倭寇所至，村邑爲墟，其屠殺淫掠之酷，令人太息；是知人無禮義，出自性成，今古無殊。戚繼光承敗績之後，用鄉兵保土衛國之勇，師出以律，卒戡大亂；民兵之訓練，足爲驅寇之資。

4.張維華，《明代海外貿易簡論》（上海，人民出版社，一九五六年）

張氏以爲明代海外貿易的基本性質是當時中國商業資本活動的一部分。商業資本的發展建立在商品生產上，而產品的性質，與當時社會的性質分不開。當時控制著海外貿易的，首先是代表專制王朝的皇帝，其次是官僚地主和商人地主。明王朝之所以要控制海外貿易，除海外諸國採取所謂「羈縻手段」的政治原因外，主要目的在於取得統治集團所需要的各類奢侈品，及發財致富，發展他們自身的經濟。然明代的社會，自十六世紀至十七世紀四十年代，中國社會內部產生了資本主義萌芽，我們如不忽視這一點，在研究明代海外貿易時，就必須探討它對當時中國社會發展起了怎樣的作用。本書所考察的明代海外貿易範圍相當廣泛，但對明代的海禁政策與專制政權直接控制下的海外貿易之發展與其演變情形，及明代私人海外貿易的活動和發展情形，尤其當時私販的特性，活動方式，倭寇、海寇之患與海外貿易之關係等問題，均能作簡明扼要的論述，並且認爲私販在明代整個海外貿易活動中佔有最重要的地位，而這種貿易與專制政權的海禁政策之間存在著互不相容的矛盾。

5.陳文石，《明洪武嘉靖間的海禁政策》（臺北，臺灣大學文學院，民國五十五年。臺大文史叢刊之二十）

本書所探討者侷限於洪武、嘉靖兩朝的海禁政策。陳氏以爲明代的海禁政策，不僅違反了有無相遷的需求，也忽略了濱海地區的自然環境，阻塞了唐宋以來中國人向外發展的趨勢。而明代的貢船貿易，乃與海禁政策連帶產生的問題，一方面有期限、人員、船數等的限制，一方面對互市交易之管制極嚴。一般番商因不能取得勘合，便只有偷泊外島，勾引私梟，秘密貿易，於是貢使走私，番商偷販，及官吏包庇等弊竇，日甚一日。明代的海禁政策，不僅釀成巨大禍亂，更嚴重阻扼了國家民族的海外拓展。作者不僅能將其視野擴及於當時的東亞世界，也兼及明朝的海禁政策所造成的中日兩國之因果關係。

6.鄭樑生，《明史日本傳正補》（臺北，文史哲出版社，民國七十年四月。文史哲學集成五十六）

作者以爲中日兩國關係雖然密切，但在元代以前中國人之研究日本問題者直如鳳毛麟角。明代以後乃有研究日本之專著問世，而論著內容則以朝貢、寇邊，及倭情、倭好、倭利、討倭等爲主。且內容多欠完整，敍述也未盡正確。故正史《明史》〈日本傳〉有待補正者亦復不少。因此，乃利用其經十餘年之探索所獲中、日、韓、琉四國之近千種文獻史料來訂正、補充該傳。且以諸前賢所研究成果爲基礎，再檢討上述史料，而依該傳所記述之先後，來訂正每一事件，與本文有關而漏列者，則以「補」的方式予以充實，並繪地圖，附於各該相關處，以供讀者之參考。

7. 戴裔煊，《明代嘉隆年間的倭寇海盜與中國資本主義的萌芽》（中國社會科學出版社，一九八二年）

作者以爲明嘉靖、隆慶年間的倭寇、海盜等問題，向來被統治階級歪曲了事實，掩蓋了眞相。明朝封建統治者站在反人民的立場，將中國人民反對封建海禁，要求發展海外貿易，溝通與日本、東南亞、南海各國商品交流的運動誣蔑爲海盜。由於受封建史料的欺騙，多少年來，這場反映中國資本主義萌芽，反對封建壓迫的事實被掩蓋了。當時的封建地主階級咒罵爲海盜，後人也跟著前人一直罵了四百多年。這種地主階級的立場觀點，思想意識，一脈相承，陳陳相因。這種觀點値得研究。因此，本書乃對當時的史實作一番考證和分析，欲將這種觀點顚倒過來。惟戴氏此一見解之是否正確，値得商榷。

8. 王儀，《明代平倭史實》（臺北，臺灣中華書局，民國七十三年）

明太祖一統中國，方國珍、張士誠先後伏誅，其部屬多係浙江濱海土著，夙曉海事。首領既敗，進退失據，繼而相結入海，勾結日人，明目張膽來犯。從此，沿海各地，寇警時傳。（註六）雖然如此，十六世紀以前的寇患，爲害尙小。明世宗繼位，因寧波事件而海禁趨嚴，倭寇之禍，隨而轉厲。

加之，閩浙勢豪之家，因緣逐利，包庇奸民，更而助長他們覬邊野心。本書即針對此一寇患之始末作系統的論述，亦即從倭寇的組成分子與夫早期倭寇的問題論起，至倭寇之被俞大猷、戚繼光等平定爲止，作簡單扼要的說明。同時也還兼及明代防倭軍事設施，和倭寇入侵時期大南北民間孝節人員之感人事蹟。卷末附〈倭寇擾明年表〉、〈倭寇擾明時期明帝世系表〉、〈倭寇擾明時期日本天皇世系表〉等，以供讀者參考。

9.汪向榮，《中日關係史文獻論考》（長沙，中華書局，一九八五年）

本書共收錄中日關係史論文八篇，前四篇爲：〈中國正史中的日本傳〉、〈《六國史》中有關中日關係的記事〉、〈《唐大和上東征傳》考〉及〈大唐傳戒師僧名記大和上鑒眞傳〉；後四篇則以明人鄭若曾《籌海圖編》、薛俊《日本考略》，來考察明代的中日兩國關係，並以宋應昌《經略復國要編》來探討明廷於萬曆二十年代遣軍援助朝鮮抗日之事。

作者認爲明代對日本的研究特別興盛的原因，在於當時所受倭寇的侵襲、騷擾，由時間而論，幾及於整整一個朝代，在空間上，則又遍及整個沿海地區，尤其嘉、隆年間的東南沿海各地。江、浙沿海富庶之區，幾無一地不受倭寇蹂躪；雖然其因不少，但人民之流離失所，生產力之受破壞，則是無法否認之事實。當地人民爲求生存，亦有許多可歌可泣之事蹟。在此客觀條件下，各地文官、武吏爲敉平倭寇，就必須對日本有深一層的認識與瞭解；民間知識分子爲應付這種情勢，也須知以倭爲名之日本情況。知己知彼，始能立於不敗之地。故南倭北虜，在很長一段時間內，瞭解日本，就成東南沿海地區人民與政府職官們的當務之急。尤其在軍事方面，要取勝，就必需具備能夠正確判斷情況的知識。在這種背景和現實的要求下，日本研究便興盛而其質量亦相對提高。

10.鄭樑生，《明代中日關係研究》（臺北，文史哲出版社，民國七十四年。日文版於同年一月，由東京，雄山閣發行）

本書以《明史》〈日本傳〉所見幾個問題爲中心，然後將明代的中日關係作綜合性探討。作者在進行研究、考察之前，首先擬定「明朝的對外政策」、「中日兩國的政治上來往」、「倭寇問題」、「明朝與豐臣秀吉的關係」等四個主題作爲中心論題，比較中國、日本、韓國、琉球四國汗牛充棟的文獻史料，而站在明代中日關係，以取代胡元建立王朝之明的華夷體制爲基礎的東亞國際關係之其中一環的觀點，來探討其對明朝的海禁政策之特性與變遷；勘合制度的實施狀況，明、日交通時日本對應的態度，倭寇活動的原因與其寇掠實情之瞭解和日本國情的關係；豐臣秀吉對外侵略的目的與其侵略經過；《明史》〈日本傳〉所記秀吉形象等，有關明代中日關係研究的重要問題之獨特見解，與提示對各種史料之批判之深入，從而闡明上述各種問題之相關關係。並企圖超越以前對此問題的個別研究之畛域，收綜合研究之效果。

11.林仁川，《明末清初私人海上貿易》（上海，華東師範大學出版部，一九八七年）

作者在本書〈前言〉裏說：明永樂以前，中國的海上貿易雖很發達，但它的性質是以皇帝爲中心的封建專制政權嚴格控制下的官方海上貿易，其存在與發展係以皇帝爲中心之封建官僚統治集團服務。此種貿易的目的，在經濟上，是爲封建統治階級採辦海外奇珍，滿足他們奢侈腐朽生活之需；政治上，是爲羈縻海外諸國，確立宗主國地位。故入貢的時間有定期，貿易港口亦有所限定。這些規定嚴重限制了海外貿易進一步發展。迄至明朝中葉以後，隨著整個封建社會的開始瓦解與官營手工業的式微，曾經盛極一時的海上官方貿易開始走下坡，朝貢國家越來越少，貢品數目大幅下降，專門建造官方船隻的龍江造船廠面臨倒閉。

正當官方貿易式微之際，一種以經營手工業原料及日常生活品爲主，在經濟上，以追求高額利潤，牟取暴利爲目的的新型海上貿易迅速崛起，逐漸取代傳統的官方朝貢貿易，成爲海上貿易之主體。因此，明末清初是中國海上貿易的轉折期，在中國海外貿易史上非常重要。作者爲研究此一時期的私人海上貿易，從蒐集資料到最後完稿，曾經歷了二十餘年。他在此主要探討明代私販發展的歷史背景，私販商人反對海禁的鬥爭情形，私販集團形式與走私港埠的出現，那些私販前往的地區，貿易品、貿易額、利潤率，私販的管理與條令，此種海上貿易的特質，它對當時的社會經濟之影響，以及他們所遭遇之困難與障礙等。並且對於發生嘉靖大倭寇的原因，也提出與前此各種學說不同之獨到見解而頗值得傾聽。

12. 鄭樑生，《明代倭寇史料》，第一、二輯（臺北，文史哲出版社，民國七十六年）

作者在本書〈序〉中言：有關倭寇之文獻，早於嘉靖年間即有之，時朝廷大員，對倭寇肆虐海疆問題，莫不憂心忡忡，各抒宏論，且上書皇帝，慷慨陳述因應之策，以補時艱。而身負剿倭重任之文武官員，皆對當時征討之詳情具文上達。此類之奏疏保存至今者爲數固然不少，然而時人以聞見所記而流傳之篇什尤夥。舉凡征勦之情形，明廷對倭寇問題之所見策略，對討倭將領之人事問題等等，皆屬之。惟上述資料泰半皆未整理，仍保存於原始文件或善本之中，間亦有散佚海外者。故學者如欲深入研究此一方面之問題，自非遍覽上述諸種文獻不爲功。果非如此，則不免見此遺彼，零星綴輯，自難究明歷史眞相。中、日兩國學者研究倭寇問題者不可謂少，然因受到資料限制，致難以窺見倭寇問題之全貌。編者鑒於此，乃著手臺灣各地公藏之善本書中鈔錄有關資料，其散佚日本經閱目者亦予以蒐集。本書爲其所輯錄之部分資料，係根據中央研究院歷史語言研究所影印出版之《明實錄》中鈔錄有關倭寇方面史料編校而成。第一輯爲中國東南沿海方面之倭寇資料，第二輯則爲有關朝鮮壬辰倭亂者。

13.汪向榮，《明史日本傳箋證》（成都，巴蜀書舍，一九八八年）

本書內容雖與前舉鄭著《明史日本傳補正》相似，但本書乃僅依《明史》〈日本傳〉所記文字之先後來箋註。誠如作者在〈前言〉所說，作箋證實，係先利用《明實錄》來補充其不足，而後在以中、日兩國有關史料，來校核、辨僞，以求詳盡，俾從事明代中日兩國關係研究的，能有足夠的資料可據。惟作者所引用者多原始資料，對於日後學者所爲探討事情眞相的著作少有引用，致有些未能傳達事實的資料也被原原本本的引用上去。

14.鄭樑生，《中日關係史研究論集》，一，（臺北，文史哲出版社，民國七十九年）

本《論集》共收錄論文六篇，前四篇與倭寇問題有關。第一篇〈方志之倭寇史料〉，中國有關明代倭寇問題之文獻史料雖汗牛充棟，但其記載多半簡略而令人難以具體瞭解，《明實錄》、《明史》等官方紀錄的情形亦復如此。故作者認爲如能利用方志，當可解決此一方面之若干疑問，對整個問題之瞭解有不少裨益。第二篇〈善本書的日本貢使資料〉，論述中國文獻之記載明代日本貢使使華之活動情形雖留下若干紀錄，然它們所紀錄者多是正常的一般性活動，對於他們違反明廷規定的行爲，或他們與對明廷有所要求而與中朝交涉之事卻殊少記載，尤其明朝當局對他們的處置情形更是未曾提及，所以必須靠善本資料來瞭解各種事件的個中詳情。第三篇〈嘉靖年間明廷對日本貢使策彥周良的處置始末〉，論述日本貢使策彥周良一行於嘉靖二十六年違反貢期、舶數之限制，提前至中國而遭阻回之際，時任浙江巡撫的朱紈處置他們的經過。第四篇〈明萬曆間朝鮮哨報倭情始末〉，論述日本豐臣秀吉於明萬曆二十年發遣大軍入侵朝鮮的前夕，朝鮮當局向中朝哨報倭情時，因受國內黨爭之影響，致延宕時日，貽誤戎機，失去從容處置的最佳時機，終演難以收拾的局面之經緯。第五篇與第六篇則分別論述明代中琉兩國間的封貢關係，及唐僧將律宗東傳日本的始末。

15. 鄭樑生，《中日關係史研究論集》，二，（臺北，文史哲出版社，民國八十一年）

本《論集》與倭寇問題有關之篇什爲〈佚存日本的《全浙兵制考》〉。作者認爲明代中、日兩國貢舶貿易問題雖有不少學者探討過，但對此一時代的海防問題，尤其是兵制問題，則除少數明人的著作及明清人士編纂的若干方志，或當時的封疆大吏在其奏疏中提及者外，並不多見。就目前保存於臺灣之明人著作而言，除《籌海圖編》、《兩浙海防類考續編》、《海防纂要》、《武備志》等幾種文獻外，殊少發現專門討論兵制問題的，所以很難窺見當時此一制度之全貌。不過作者近年在東京公文書館發現明人侯繼高纂輯之《全浙兵制考》，它雖無法使人瞭解整個東南沿海地區的兵制，卻可從而推知當時明朝在沿海地方設防之梗概。因此，該書對研究明代海防與兵制等問題應有相當助益，而作相當詳盡的介紹。

16.鄭樑生，《中日關係史研究論集》，五，（臺北，文史哲出版社，民國八十四年）

本書共收錄明代中日關係之論文五篇，首篇〈明嘉靖間浙江巡撫朱紈執行海禁始末〉，論述嘉靖二十年代負責剿倭的浙江巡撫朱紈，因嚴厲執行海禁政策，致引起與干犯海禁的閩浙勢豪之家之不安忌恨，結果，受閩地出身官員之誣陷而失位，終於仰藥自殺的經過。第二篇〈王忬與靖倭之役〉，論述朱紈失位以後，因撤備弛禁而倭患復熾，因而明廷乃採給事中王國禎，御史朱瑞登等之建言，起用巡撫山東右僉都御史王忬擔任斯職，兼假以巡撫總督之權，使之節制諸省，以責其功。但忬對當時猖獗的倭寇已無能爲力，故在不久以後被撤換的經緯。第三篇〈張經與王江涇之役〉，言王忬被撤職後，由南京兵部尚書張經總督軍務。張經擔任總督期間，雖有過赫赫武功，卻爲趙文華等人所冒，致不但其功業無法彰顯，反而因得罪小人，致遭身首異處之禍的顛末。第四篇〈胡宗憲與靖倭之役〉，探討繼楊宜之後任浙江總督的胡宗憲，他以離間計分別擊潰渠魁徐海、陳東、麻葉，並且遣蔣洲、陳可願赴日招降王直，將他下按察司獄，處死。直被捕後，其餘黨自舟山徙至泉州之浯嶼。結果，非僅兩浙人民多罹其殃，其災禍更及閩、廣的經緯。第五篇〈明隆慶初右僉都御史塗澤民議開海禁的貢獻〉，言解除海禁之議在明武宗正德年間已有人提出，世宗嘉靖年間，董威、宿應參等亦曾提出相關建議而皆不報。直至穆宗隆慶元年（一五六七）右僉都御史塗澤民議開海禁，准許國人往販東西兩洋，惟仍禁赴日貿易。此一辦法雖非採全面開放，但其意見被採納而將其付諸實施後，東南沿海居民因而得公開往市海外，易私販爲公販，於是民生安樂。此一政策上的改變，不僅使當時的政治獲得某種程度之安定，對外貿易亦自必獲得某種程度之發展。

17. 范中義，《戚繼光評傳》（南寧，廣西教育出版社，一九八六年）

作者論述出身將門之家的戚繼光文武雙全。嘉靖二十三年（一五四四）十七歲時，襲祖輩封職，任登州衛指揮僉事，開始其軍旅生涯。此一時期的明廷，嘉靖帝朱厚熜昏庸無能，內閣嚴嵩當權，政治黑暗。這時的明軍，經過百餘年的太平日子，已開始腐敗，邊防、海防廢弛。嘉靖二十九年，北方的俺答率兵內犯，進逼都城，大掠而去。三十一年開始，倭寇猖狂侵犯東南沿海，無惡不作，大明帝國的統治受到威脅，東南沿海民衆慘遭兵燹。就在這種情形之下，戚繼光於三十四年奔赴抗倭前線。並言戚繼光在禦倭中成長，在禦虜中成熟，在逆境中不移矢志。他不僅在剿倭戰役中有傑出表現，而且有獨放異彩的著作，完整系統的治軍理論，攻守結合的戰爭謀略，更具有求實辯證的思維方式，因此，他在中國軍事史上有不可磨滅的地位。

18. 鄭樑生，《中日關係史研究論集》，七，（臺北，文史哲出版社，民國八十六年）

本《論集》收錄倭寇關係論文五篇，首篇〈明永樂年間的中日貢船貿易〉，即與倭寇發生關聯的情形下，來探討明永樂年間之中日兩國間的經貿問題，與此一時期的貿易之特色。在嘉靖二十年代中期，因倭寇漸趨猖獗，乃特設浙江巡撫提督軍務，嚴格執行海禁。至三十五年五月，則除巡撫外，別置總督大臣，專門負責勦倭而廷推南京兵部尚書張經擔負此一大責重任。工部右侍郎趙文華經嚴嵩之推舉，於三十六年四月至江南祭告海神，因察軍情。第二篇〈嚴嵩與靖倭之役〉，除探討嵩處理日本貢使問題外，主要論述他與文華陷害討倭功臣的經緯。《明史》謂倭寇之蹂躪蘇、松地方，始自嘉靖三十二年，訖於三十九年，其間為巡撫者十人。第三篇〈明嘉靖間靖倭督撫之更迭與趙文華之督察軍情〉，即眞對當時勦倭督撫的人事問題，與趙文華之關聯上來論述。明代倭亂，尤其嘉靖三十年代的倭亂，不僅對東南沿海地區居民的日常生活造成嚴重威脅，破壞既有的社會結構，也使糧食生產陷於停頓，物資的流通也必陷於癱瘓。雖然如此，為了勦倭，卻非解決募兵、調兵而來之軍餉問題不可。亦即為防倭、勦倭，必須籌措足夠的軍餉方能濟用。與之同時，又再三撥出帑藏，或酌留各地應繳中央的稅款，以充軍餉，或蠲減錢糧，以甦民生。第四篇〈明東南沿海地區倭亂對明朝財賦的影響〉，即針對此一方面的問題立說。在有明一代的靖倭戰役中有不少將士為國捐軀，也有不少府、州、縣、衛、所城被攻陷。在平定倭亂之際，除軍人之殺身成仁外，地方官之於各靖倭戰役中殉難者亦不乏人。更有一般男婦被殺擄，及官民廨舍被焚毀，則必嚴重影響地方之治安，居民無法安居樂業而戶口之會因此有所損耗，自屬必然。因此，末篇〈明嘉靖間之倭亂與東南沿海地區的社會殘破〉，即針對上述問題，將東南沿海地區各府、州、縣、衛、所被攻陷的情形，與軍人、地方官員之傷亡，以及人口損耗的情況加以表列，來論述當時該地區因倭亂殘破之一斑。

19.鄭樑生，《明代倭寇史料》，第三輯（臺北，文史哲出版社，民國八十六年）

本書乃據臺灣商務印書館之「百衲本」《明史》中鈔錄有關倭寇方面史料編校而成；其標點句讀，則據臺北鼎文書局出版之《明史》。本書除底本及點校本《明史》所作考訂外，另參照鄭著《明史日本傳正補》、《明代中日關係研究》及《延喜式》、《善鄰國寶記》、《中外經緯傳》、《鄰交徵書》、《球陽》、《中山世譜》、《琉球史料叢書》、《高麗史》、《懲毖錄》等中、日、韓三國有關文獻，予以文字上之校勘，並逐卷註明其校訂結果。

20.鄭樑生，《明代倭寇史料》，第四輯（臺北，文史哲出版社，民國八十六年）

本書係根據臺灣現有明代以後刊行之方志，及佚存日本和大陸福建省現有之該省沿海地區部分方志中鈔錄有關倭寇方面史料編校而成。所輯錄倭寇史料之方志版本，包括廣東、福建兩省沿海各府州縣所刊行者凡三十二種共四十二類，按省、府、州、縣別及地區，自南至北，依次排列而成。

21.鄭樑生，《明代倭寇史料》，第五輯（臺北，文史哲出版社，民國八十六年）

本書亦根據臺灣現有及佚存日本之明代以後刊行之方志中，鈔錄有關倭寇方面史料編校而成。所輯錄倭寇史料之方志版本包括福建、江浙沿海各府、州、縣所刊行者凡二十三種共三十類。其排列方式與第四輯相同。

22.鄭樑生，《中日關係史研究論集》，八，（臺北，文史哲出版社，民國八十七年）

本《論集》收錄倭寇關係論文三篇，中琉關係論文四篇。衆所周知，有關後期倭寇的史料汗牛充棟，但各史料對同一地區，同一事件的論述繁簡不一，所言內容亦未必相同，致要引用時難於取捨。即使所記內容相同，有時也因它過於簡略，難以理解事情的始末。如能找到相關資料，則於事情眞相的瞭解，當有莫大裨益。就嘉靖三十年代末期唐順之之靖倭，或時間與此相同，而在廣東等地征勦渠魁林朝曦、張璉等情形言之，亦復如此。故首篇〈《洪芳洲公文集》之倭寇史料〉，即據此以探討嘉靖末年征勦崇明三沙、江北廟灣，及廣東劇寇張璉之始末。當中國東南沿海地區的倭亂被平定後不久的萬曆二十年，豐臣秀吉於即將統一日本全國之際，竟興起侵略亞洲各國之念，發動大軍，兵分八路入侵朝鮮。且分別致書琉球、呂宋、臥亞與臺灣，要求它們或捐獻金銀、糧食助其所發動之侵略戰爭，或威脅它們服屬、朝貢日本。本集第二篇〈豐臣秀吉的對外侵略〉即對秀吉之侵臺企圖作較深入之探討。倭寇從十四世紀中葉開始侵掠高麗，加速了高麗的滅亡。高麗滅亡後，朝鮮當局採准許倭人至其國通商，及鼓勵渠魁歸順的策略而獲相當成效。結果，那些寇盜竟將其劫掠目標轉移到中國來。由於當時的朝廷一味採取嚴厲海禁及從事征勦，致寇亂愈益滋蔓難圖，直到隆慶初年開放部分海禁，允許國人於海澄從事對外貿易，倭亂方纔逐漸平靜下來。本集第三篇〈明代中韓兩國靖倭政策的比較研究〉，即根據中、日、韓三國之文獻史料來探討明代中、韓兩國之靖倭政策而撰述者。

以上所舉者爲中國學者有關明代倭寇問題的專著，其單篇論著則有如下之篇什（含日文中譯）：

1. 張德昌，〈明代廣州之海船貿易〉（《海華學報》，七卷二期，民國二十一年）
2. 張道淵，〈寧波市在國際通商史上之地位〉（《國風半月刊》，三卷九期，民國二十二年）
3. 吳玉年，〈明代倭寇史籍誌目〉（《禹貢》，二卷四期，民國二十三年）
4. 內田直作撰，王懷中譯，〈明代的朝貢貿易制度〉（《食貨》，三卷一期，民國二十四年）
5. 百瀨弘撰，郭有義譯，〈明代中國之外國貿易〉（《食貨》，四卷一期，民國二十五年）
6. 翦伯贊，〈明代海外貿易的發展與中國人在南洋的黃金時代〉（《時事類編特刊》，六十三期，民國三十年）
7. 秦佩珩，〈明代的朝貢貿易〉（《經濟研究季刊》，一卷二期，民國三十年）
8. 秦佩珩，〈洪武年間之海禁〉（《新南洋》，一卷一期，民國三十二年）
9. 管照微，〈明代朝貢貿易制度〉（《貿易月刊》，四卷七期，民國三十年）
10. 鄭師許，〈明太祖對于海上的設施〉（《南洋研究》，十一卷三期，民國三十三年）
11. 胡寄馨，〈明代閩粵浙沿海的經營海外貿易商人〉（《中央日報》，民國三十五年九月七日）
12. 賈敬顏，〈明代瓷器的對外貿易〉（《歷史教學》，一九五四年八期）
13. 胡寄馨，〈明代國人航海貿易考〉，（《社會科學》〔福建〕，二卷三、四期，民國三十五年）
14. 李獻璋，〈嘉靖年間における浙海の私商及び舶主王直行蹟考〉，上、下（《史學》，三十四卷一、二號，昭和三十六年）

15.李獻璋，〈嘉靖大倭寇の始末〉（《華僑生活》，二卷七、九、十合併號；三卷春季號，昭和三十八～三十九年）

16.趙令揚，〈記明代會同館〉（《大陸雜誌》，四十一卷五期，民國五十九年）

17.陳文石，〈明嘉靖年間浙福沿海寇亂與私販貿易的關係〉（《歷史語言研究所集刊》，三十六本，民國五十四年）

18.李獻璋，〈嘉靖海寇徐海行蹟考〉（《石田博士頌壽記念東洋史論叢》，昭和四十七年）

19.鄭樑生，〈倭寇〉（東吳大學《日本語教育》，三期，民國六十七年）

20.鄭樑生，〈明・日國交の初まり〉（東吳大學《日本語教育》，五期，民國六十九年）

21.鄭樑生，〈明朝と征西將軍府との交涉〉（東吳大學《日本語教育》，六期，民國七十年）

22.李洵，〈公元十六世紀的中國海盜〉（一九八二年）

23.林仁川，〈明代私人海上貿易商人與倭寇〉（一九八一年）

24.鄭樑生，〈明・日使節について〉（東吳大學《日本語教育》，七期，民國七十一年）

25.鄭樑生，〈明朝海禁與日本的關係〉（《漢學研究》，一卷一期，民國七十二年）

26.鄭樑生，〈日本元歸以降の國內事情〉（東吳大學《日本語教育》，八期，民國七十三年）

27.曹永和，〈試論明太祖的海洋交通政策〉（《中國海發展史論文集》，民國七十三年）

28.張彬村，〈十六世紀舟山群島的走私貿易〉（《中國海洋發展史論文集》，民國七十三年）

29.陳抗生，〈嘉靖倭寇探實〉（一九八四年）

30.張增信，〈十六世紀前期葡萄牙人在中國沿海的貿易據點〉（《中國海洋發展史論文集》，二，民國七十五年）

31.張增信，〈明季東南海寇與巢外風氣——一五六七～一六四四〉（《中國海洋發展史論文集》，民國七十七年）

32.張彬村，〈十六至十八世紀華人在東亞水域的貿易優勢〉（《中國海洋發展史論文集》，三，民國七十七年）

33.邱炫煜，〈明初與南海諸蕃國之朝貢貿易〉（《中國海洋發展史論文集》，五，民國八十二年）

34.鄭樑生，〈明代倭亂對江南地區人口所造成的影響——一五五三～一五五六〉，已在蘇州召開之「家庭、社區、大衆心態變遷國際學術研討會」中宣讀。

35.鄭樑生，〈再論明代勘合〉（《淡江史學》，十期，民國八十八年）

以上乃錄列管見所及者，由於中國大陸幅員廣大，資料蒐集不易，遺漏者必多，故有待日後繼續蒐集。

四、今後應走之方向

前文所舉者，乃中、日兩國學者有關明代倭寇關係的研究成果。日本學者在第二次世界大戰以前，或在大戰期間所研究累積下來的成果，我們雖無法一一列舉，但在戰後往往被認爲只是「海寇」的戰時論著中，無論他們的著眼點或論點是甚麼，他們對問題的處理情形如何，卻在發掘基礎的史實方面有其貢獻。同時，那些論著也發掘了許多有關倭寇分子爲甚麼遠渡重洋至高麗、中國劫掠？他們所劫掠的目標是甚麼？其組成分子如何？中國人心目中的倭寇如何？當時中國人對日本人的印象又如何等問題。他們不僅將日本的許多相關資料都發掘出來，而且在東亞海域多角形之交通情形，與夫日本各階層人士的對外意識，及在組織當時東亞國際上成爲關鍵性的具體人物與其活動的相關資料之發掘與介紹、整理方面，也都有相當的貢獻。

我們由上舉著作可知，中、日兩國學者係從許多不同角度來探討明代倭寇，但仍有若干問題有待今後解決。例如：前此日本學者所爲之研究，雖竭盡其力，將他們所能看到的文獻史料作最有效的利用，而有其輝煌的成果。惟因他們受文獻史料的囿限，致所下結論有時難免失實，或因未見某些資料，致無法將事情的眞相作正確把握。

前此學者研究倭寇問題時，大都只利用鄭若曾《籌海圖編》、《江南經略》、《鄭開陽雜著》，茅元儀《武備志》，及《明經世文編》、《明實錄》、《明史》等，其利用采九德《倭變事略》，徐學聚《嘉靖東南平倭通錄》，或朱紈《甓餘雜集》，鄭舜功《日本一鑑》等當代文獻者亦屬少數，至於東南沿海各府州縣所刊行的方志之利用，直可說絕無僅有。

《倭變事略》乃嘉靖三十年代任職浙江海鹽縣的官吏采九德的聞見記，不僅對當時在海鹽附近肆虐的倭寇之一舉一動觀察入微，而且都把它紀錄下來。九德在〈序〉中言：

國家德敷九有，光被海隅，百八十餘冀以來，恬如一日，人不知兵久矣。自嘉靖癸丑（三十二年，一五五三）歲，倭夷騷動閩、浙、蘇、松之境，數載勿靖。幸而漸就殲滅，然東南罷弊極矣。余世居海濱，目擊時變，追惟往昔，四郊廬舍，鞠爲煨燼；千隊貔貅，空塡溝壑。既傷無辜之軀命，復浚有生之脂膏。聞者興憐，見者隕涕。矧余本支世胄，盡忠效死，叨蔭國恩，余也能無記述示子姪，俾識時艱，以善繼前人之志乎。

由此書，既可瞭解嘉靖三十二年至三十五年之間，倭寇肆虐海鹽地區的實況，同時也可知浙江總督胡宗憲用計先後消滅渠魁徐海、陳東、麻葉的經緯，與王直被誘捕，就戮於杭州的始末。

就《甓餘雜集》十二卷言之，它乃集朱紈任浙江巡撫負責剿倭工作期間之奏疏而成，由此，我們不僅可以瞭解他嚴格執行海禁的實況，也可藉此得悉到底有哪些中國奸民干犯海禁，與倭寇狼狽爲奸。例如他在嘉靖二十六年十二月二十六日所上〈閱視海防事〉疏謂：

同安縣養親進士許福先，被海賊虜去一妹，因與聯姻往來，家遂大富。又如考察閒住僉事林希元，負才放誕，見事風生，……專造違式大船，假以渡船爲名，專運賊贓并違禁貨物。今據查報，見在者月港八都地方二隻，九都一隻，高浦吳灌村一隻，劉五店一隻，地方畏勢不報者，又不知幾何也。……此等鄉官乃一方之蠹，名賢之玷，進思盡忠者之所憂，退思補過者之所恥。蓋罷官不惜名檢，招亡納叛，廣布爪牙，武斷鄉曲，把持官府。下海通番之人，借其貲本，藉其人船，動稱某府，出入無忌。船貨回還，先除原借，本利相對，其贓物平分。蓋不止一年，亦不止一家矣，惟林希元爲甚耳。

並且我們也可從這些奏疏瞭解他除嚴格執行海禁外，爲根絕日後的寇患而掃蕩倭寇淵藪，將浙江雙嶼塡起來，使賊船無法再停泊靠岸。至於他之如何與那些誘倭、勾倭之地方勢豪周旋，將他們繩之以法，亦可由此獲知其梗概。

就後期倭亂之起因問題言之，鄭舜功《日本一鑑》〈窮河話海〉卷六「海市」記沿海地區發生倭亂之原委云：

嘉靖甲午（十三年，一五三四），給事中陳侃出使琉球，例由福建津發，比從役人皆閩人也。既至琉球，必候汎風乃旋。比日本僧師學琉球，我從役人聞此僧之言日本可市，故從役者即以貨財往市之，得獲大利而歸，致使閩人往往私市其間矣。……自後私商至彼，待以殊禮，繕舟匱乏，島夷稱貸，故私商衆，福亂始漸矣。夫廣私商始自揭陽縣民郭朝卿，初以航海遭風，漂至其國。歸來，亦復往市矣。浙海私商，始自福建鄧獠。初以罪囚按察司獄。嘉靖丙戌（五年，一五二六）越獄，逋下海，誘引番夷私市浙海雙嶼港，投託合澳之人盧黃四等，私通交易。嘉靖庚子（十九年，一五四〇），繼之許一松、許二楠、許三棟、許四梓，勾引佛郎機國夷人，絡繹浙海，亦市雙嶼大茅等港，自茲東南釁門始開矣。……癸卯，鄧獠等寇掠閩海地方，浙海寇盜亦發。海道副使張一厚，因許一、許二等通番致寇，延害地方，統兵捕之。許一、許二等敵殺得志，乃與佛郎機夷竟泊雙嶼。夥伴王直（的名呈，即五峰），於乙巳歲（二十四年）往市日本，始誘博多津倭助才門等三人，來市雙嶼。明年復行，風布其地，直浙倭患始生矣。……

此言因中國人干犯海禁走私日本，致衍生寇亂。像這類資料，未見於《明實錄》、《明史》等官方紀錄，故須參看同一時代的人所留下者，方能瞭解事情的眞相。由於本書作者鄭舜功曾於嘉靖三十五年，因倭寇問題，奉負勦倭重責的浙江總督楊宜之命，東渡招諭日本，故其紀錄必信而有徵。本書除言倭患發生之原委外，也還論述「渡航」、「流逋」、「被虜」、「奉貢」、「表章」、「勘合」、「貢期」、「貢人」、「貢物」、「貢船」、「貢道」、「風汛」、「水火」、「使館」、「市舶」及「評議」等，如不忽略這類史料，不僅對瞭解後期倭寇發生的原委，對瞭解有明一代的中、日兩國關係，也必有莫大裨益。

至於中國方志的利用，也不可忽略。前此研究倭寇問題的中外學者甚夥，其論著之值得重視者亦多，但論及能充分利用方志以補充、印證他書所記有關明廷針對倭寇所採取的各種設施，即倭寇蹂躪中國沿海郡縣之實情，征倭將士死難之事蹟，明軍討伐倭寇時所以失利之原因者卻殊不多見，（註七）此實爲此類著作美中不足處，倘能利用方志，則於倭寇研究必能獲更豐碩之成果。就嘉靖三十四年，於江南討倭戰役犧牲生命的彭藎臣言之：《世宗實錄》，卷四二二，同年五月甲午朔條記藎臣之英勇事蹟曰：

柘林倭，合新倭四千餘人，突犯嘉興。（浙江）總督強（張之誤）經，分遣參將盧鏜，督狼、土等兵，水陸擊之。保靖宣慰使彭藎臣，與賊遇于石塘灣。大戰，敗之。賊遂北走平望。副總兵俞大猷，以永順宣慰司官彭翼南邀擊之。賊奔回王江涇。保靖兵復擊急（急擊）其後，賊之（遂）大潰。諸軍共擒斬首功，凡一千九百八十人（衍）有奇，溺水及走死者甚眾。餘賊不及數百，奔歸柘林。自有倭患以來，東南用兵，未有得志者，此其第一切（功）云。

此乃敍述王江涇大捷的經過，但此紀事僅言彭藎臣於該役擊敗倭賊，並未述及他陣亡事。谷應泰《明史紀事本末》，卷五五，〈沿海倭亂〉雖亦記此一戰役，也僅言：

時倭自柘林犯嘉興，（張）經遣參將盧鏜督狼、土兵，水陸攻之，大敗賊於石塘灣。賊北走平望。俞大猷邀擊。奔平望，至王江涇。永順宣慰官彭翼南攻其前，保靖宣慰使彭藎臣躡其後，遂大敗之，斬首二千級，溺死者稱是。餘眾奔柘林，縱火焚其巢，駕舟二百艘出海遁。自有倭患以來，此為戰功第一。

至鄭若曾《籌海圖編》，卷九，〈大捷考〉所錄都御史胡松撰〈王江涇之捷〉，則除言藎臣所領士兵數千人至，可使巡按浙江御史胡宗憲策其恃勇犯忌，藎臣遇伏墮賊受挫，及標榜宗憲之赫赫武功外，並未言及藎臣之作戰情形。太學生俞獻可撰〈平望之捷〉，也僅言他復失利，而同書卷十一，〈遇難徇節考〉，亦無相關記載。雖然如此，康熙甲子（二十三年）《吳江縣志》，卷二二，〈武略〉卻有如下之一段文字：

嘉靖三十四年正月，（倭）賊陷崇德，掠五百餘舟，從南潯，經梅堰，至平望六里橋。兵備參政任環，伏沙兵將擊之。僧兵洩其機，沙兵被害及溺死者甚眾。（青陽港知縣楊）芷督官船分列于橋之東西，蕩中夾攻，斬首十五級，飛砲擊死者二十餘人。賊所掠財寶，亡失殆盡。會新城雨裂，城隍災，恐賊棄舟窺城，乃遶朱家橋，據盛墩扼之。賊夜遁，復屯柘林。四月二十六日，賊復從嘉興至唐家湖，賊不能渡。芷引兵捷戰。賊駭奔平望，奪舟橫渡。芷令泅水者鑿其舟，而自屯兵截盛墩，斷其堤，并布釘板于水底，賊不敢渡。幕府（張經）調遣（保靖）宣慰（使）彭藎臣率兵二千來援，邑兵勢合，與賊戰于平望。藎臣爲先鋒，斬賊首百餘級。轉戰至楊家橋，斬首三十餘級，藎臣被創死。

由此記載，我們不但得悉藎臣當時的任務，而且知其陣亡之所在。所以如能利用方志，對明代爲防倭所爲海防設施，與剿倭有關之戰事，或與剿倭有關之人物等的事情眞相，必能獲得更深一層的瞭解。（註八）

以上所言者乃對官方文獻以外之各種資料，對倭寇問題研究之重要性，至於日本貢使至中國時的相關資料問題，筆者曾於一九八八年十一月，在中央圖書館（國家圖書館）所舉辦「漢學研究資源國際學術會議」中，以〈善本書的明代日本貢使資料〉爲題介紹過。此外，當時文武官員對倭寇所持之意見，明朝當局對於倭寇與夫對那些干犯海禁的中國子民之處置意見，明朝職官以及一般民眾對此一災患所持之態度；它對國家產業所造成之影響，初時官軍所以屢戰屢敗的原因；雙方戰術的異同，中國男婦被倭寇所擄後的下落等，在在須要我們今後逐一探討。

至於在剿倭當時，除調用各地的駐守部隊外，也還調用不少客軍，而那些客軍在剿倭戰役時所扮演的角色如何？其利弊又如何？俞大猷在剿倭戰役裏，曾立不少功勳，其實情如何？戚家軍在討伐閩廣倭寇時，曾建立很大功勳，此戚家軍的特色在哪裏？他們究竟以何種方式作戰？戚繼光怎樣統御他們？以及王忬、朱紈、張經、胡宗憲、李遂、湯克寬、盧鏜、邵梗諸將領如何統軍剿倭等，這些也是我們亟欲瞭解的。職此之故，今後我們必須利用各種資料，尤其是善本資料、各地方志，及散佚各地的明人有關此一方面的著作，從每一個地方或每一事件，每一人物開始著手，然後逐漸將範圍擴大，如此則對整個明代倭寇問題，必會有更深刻的瞭解與認識。

得在此一提的，就是在研究明代倭寇問題時，除一般文獻與上述史料外，其多數資料都埋藏於目前臺灣公藏的善本書裏。那些善本書，不是少有人利用，就是從未被人引用過，只因它們之多數未被利用過，致前此研究之成果，往往因後來看到那些資料而須將過去所研究者加以修訂，或對某一事件須重新檢討。所以今後從事此一領域之研究時，最好能事先遍查目前臺灣與在中國大陸所能看到的一切方志與善本，如此，方能把事情弄清楚。至於佚存日本的相關資料，漢學中心已於近年設法從彼邦影印庋藏，可以利用。

五、結　語

以上係就中、日兩國學者有關明代倭寇關係的主要著作作簡單的介紹，並對今後從事此一學術領域之研究時所應顧及之處作若干建議。然就如前文列舉之著作所示，前此所為之研究多傾向於問題之個別研究，而未能將整個時代的關係作通盤的考察，並站在比較史學的立場來探討。與之同時，大都未能利用善本書與方志，或利用當時實際從事剿倭工作者的論著，如前舉朱紈的《甓餘雜集》，或俞大猷的《正氣堂集》，戚繼光的《紀效新書》，又或利用直接參與其事的鄭舜功之《日本一鑑》，或身歷其境之采九德的《倭變事略》等來立論。所以今後的研究，除須表露中國學者傳統的方法論與其優點外，更應站在比較史學的觀點，與東亞國際關係與歐洲勢力東漸的視野，對每一歷史事件作客觀、徹底而深入的探討，如此，所作研究不僅能夠更接近問題的核心，其成果也必將更為豐碩，對學術的裨益亦將更多。此外，在當時同樣被中國人視為倭寇的葡萄牙人的在華活動情形，也有待我們今後之研究。

【註　釋】

註一：《明太祖實錄》（本文引用、參考之《明實錄》為中央研究院歷史語言研究所影印本），卷四一，洪武二年四月己丑朔戊子條云：「陞太倉衛指揮僉事翁德為指揮副使。先是，倭寇出沒海島中，數侵掠蘇州、崇明，殺傷居民。……德時守太倉，率官兵出海捕之，遂敗其衆，獲倭寇九十二人，得其兵器海艘。奏至，詔以德有功，故陞之。……仍命德領兵往捕未盡倭寇」。

註二：嘉靖元年（一五二二）無罷市舶提舉司之實。

註三：朱印船貿易，日本近世初期，持有由幕府所發行，可以航行海外之許可證——朱印狀的船隻所從事的對外貿易。在室町時代的對琉球貿易中已有此例，豐臣秀吉時被制度化。德川家康沿用此制而在實施鎖國政策前爲其極盛期。朱印船前往的地方爲高砂（臺灣）、呂宋、馬來西亞、柬埔寨、暹羅等地。

註四：《明史》（臺北，臺灣商務印書館，百衲本），卷九〇，〈兵志〉，二，「衛所」條。

註五：汪向榮，《中日關係史文獻論考》（長沙，中華書局，一九八五年二月），頁二四三～二四四。

註六：王儀，《明代平倭史實》（臺北，臺灣中華書局，民國七十三年三月），頁二。

註七：前此研究明代倭寇問題者雖多，但能利用方志以補充、印證他書所記倭寇關係之問題者甚少，據筆者寓目所及，僅有李獻璋〈嘉靖大倭寇の始末〉，一～三（《華僑生活》，第二卷秋季、冬季號，第三卷春季號）；王儀，《明代平倭史實》；及在本文所舉筆者之各論著而已。

註八：有關方志裏的倭寇史料問題，請參看拙著〈方志之倭寇史料〉，收錄於鄭著《中日關係史研究論集》，一（臺北，文史哲出版社，民國七十九年七月），頁一～三四。

註九：收錄於前著所舉書，頁三五～五六。

清廷對琉球遇劫貨船的處置始末

一、前言

船隻之在江上或海洋中航行，最重要者莫過於平安，故人們在啓碇之前通常都要舉行向上蒼或海神祈求能夠平安順利航行的儀式，這種風尚，實可謂古今中外無不皆然。就中國言之，祈風與祭海是宋代市舶司主持的一種典禮，也是市舶司的職責之一。南宋（一一二八～一二七九）後期兩次知泉州的眞德秀在其〈祈風文〉裏說：

惟泉爲州，所示以足公私之者，蕃舶也。舶之至使時與不時者，風也。而能使風之從律而不愆者，神也。是以國有典祀，俾守土之臣，一歲而再禱焉。

亦即當時的市舶司官員每年都要爲航行海外的商人舉行兩次的祈風典禮，以求他們的一路順風，平安往來於海上。南安九日山祈風石刻有：「遵令典祈風於昭惠廟」，「舶司歲兩祈風」，「禱舶南風，遵彝典也」「遵故事也」等語，可見祈風是當時的一種制度。而此事亦可由曾於紹興年間（一一三一～一一六二）擔任市舶使的林之奇之《拙齋文集》〈祈風文〉，及李邴的《水陸堂記》所記有關南安九日山祈風之盛況，朱彧的《萍洲可談》之相關記載獲得佐證。

除祈風外，也還同時舉行祭海，其所以舉行這兩種儀式，雖都是爲求航海平安，但都帶有迷信色彩。雖然如此，卻反映了當時的主政者對發展海外貿易的重視，和對外國商人來華貿易的關懷。元代以後是否仍有由政府官員爲海商舉行祈求航海平安的儀式，筆者管見所及，雖尚未發現相關記載，但由清代地方首長之爲冊封正、副使平安返閩而遵旨虔誠祀謝媽祖，(註一)及今日漁民之於每當出海之際都要求神拜佛之情形觀之，即使元代以後的官府不再爲海商主持這種儀式，但民間之仍有這種習俗，實不難想像。

前述儀式乃對自然界的祈求，這種祈求之是否有效，固然值得懷疑，惟當他們遇到人禍，亦即他們如在航海途中遇到盜匪的劫掠，則除非有足以制服那些盜匪的武力，便只有任憑他們宰割了。

在清乾隆末年，曾經發生隨貢使來華的琉球國貨船在浙江溫州外洋遇劫的事件。因此一事件爲筆者所見文獻上僅存發生於清代的唯一案例，故擬利用僅有的少數資料，敍述該貨船之遇劫與夫閩浙地方的文武官員緝捕搶匪的經過情形。

二、琉球貨船被劫的貨物

在有清一代，往來於中、琉兩國間的琉球船隻相當多，除貢船外，尚有接貢船、護送船、謝恩船、貨船等。貢船、接貢船、護送船等皆可遵例免稅；其因風難到閩的船隻，亦可循例享受免稅優待。

（註二）

如據乾隆六十年六月當時的署閩浙總督覺羅長麟、署福建巡撫魁倫等的奏報，本年五月上旬，有一隻琉球貨船在浙江溫州外洋爲數艘海盜船所包圍，船上貨物與銀兩、食物、防船軍器等皆爲其所奪（註三）謂：

奏爲琉球國貨船一隻在洋被劫，臣等現在查辦緣由恭摺奏聞事：竊臣魁倫於本年六月初二日，接據署福州府海防同知張映斗報稱：「琉球國貢船二隻，又上年雇往，今隨幫回閩貨船一隻進口，據通事蔡世彥具報，貨船於本年五月初三日在外洋被劫等情，當即飭查去後，嗣於六月十六日，據署同知郝寧、安詳覆遵將夷船吊進内港訊。據通事蔡世彥等供稱：『奉王世孫令送還内地商船一隻，跟隨本國貢船於上年十二月内，自本國候風開駕，至本年四月二十七日放洋，五月初三日駛至不知地名之外洋，被盜船數隻圍住所坐商船，劫去海參等貨並衣箱、銀兩、食物，夷人並未受傷。初四日，駛至浙江溫州所屬之三盤洋面，遇見本國貢船二隻先已在彼停泊並未被劫。三盤洋離被劫外洋有一百餘里』等語，並據開送失單前來」。（註四）

魁倫等據報，「隨即飭委候補道德明額親赴該船，將遇難琉球人等安頓於福州館驛妥爲照料，並飛檄粘抄被劫物品清單，通飭浙、閩沿海各營、縣一體嚴拏正盜，並盤查上岸銷贓之人，務期贓、盜俱獲。」（註五）亦即清朝當局對此劫掠外夷船貨的事件，不僅要緝獲盜匪，也還要擒拏銷贓之人。惟因海防同知張映斗所言其遇劫地點在不知名之外洋而曖昧不明，因此，魁倫等乃又傳該貨船通事蔡世

彥暨梢水知念宮平等，親自加以訊問。訊問結果，通事與梢水均供述於

五月初三日，該商船一隻駛至南麂山數十餘里之外洋遇盜，劫去海參等物並銀四百一十五兩。初四日，駛至三盤洋，面見貢船二隻在彼停泊，並未被劫。其被盜洋面實在不知地名。(註六)

亦即魁倫等雖親自訊問，也仍無法瞭解他們遇劫的詳細地點。

如據福建等處承宣布政使司於嘉慶元年四月二十日致琉球國中山王世孫尚〈咨〉所記，該貨船被劫之貨物是：

海參百伍百觔　鮑魚陸百觔
墨魚貳拾伍觔　佳蘇魚參拾連
海帶菜貳千觔　石巨參拾觔
沙魚翅伍百觔　色銀肆百壹拾伍兩
衣箱參拾貳隻(內大小衣褲鞋襪約參百餘件)　印花布被面肆百匹
牛皮陸張　銀簪貳拾枝
火食鐵鍋大小伍口　大小食物灌壹百伍拾個
血油蠟燭貳拾枝　鹽壹拾灌
茉油肆灌　醬油壹拾捌灌
大小鐵釘壹百捌拾條　防護鎗貳拾枝

腰刀大小肆把(註七)

上舉這些物品,乃隨該國貢船運至中國販賣之「使臣自進物」,亦即琉球商賈隨其貢使船載來華交易的物品,但它們竟在溫州外洋爲海盜所劫掠。

對於此一事件,浙江巡撫覺羅吉慶謂:

竊臣于八月初二日欽奉上諭,長麟等奏琉球國貨船在浙江溫州洋面被劫一摺,寔屬不成事體,可見地方文武於捕盜並未認眞辦理,以致洋面劫盜肆行無忌。(註八)

也就是說,覺羅吉慶認爲琉球貨船之所以被劫,乃由於地方上的文武官員未能善盡職責所致,因此他又謂:

該國被劫貨物,即著落失事地方官加一倍賠償。此事行劫外國船隻盜犯拏獲之日,竟當凌遲處死。其該管督撫及疎防各員查明交部嚴加議處;並著該督撫即量飭所屬上緊嚴拏,務期必獲,不得視爲海捕具文,致令盜犯遠颺,自蹈咎戾,仍將現在有無獲犯迅速具奏。(註九)

亦即覺羅吉慶認爲外夷貨船被劫,除應急速緝拏盜犯,繩之以法,及追究失職人員的責任外,其發生此一劫案的地方官員,也應對該船所失財物加倍賠償。高宗亦認爲:

現據長麟等奏,查照該國通事開報失單,著落地方官賠補,所辦尚未允協。目下該國通事如尚未回棹,即著長麟等傳諭該通事□(宣)示朕旨,以中國洋面盜風未戢,該國貨船竟有被劫之事,朕亦引以爲媿。所有該國被劫貨價,即著落失事地方官加一倍賠償。此案盜犯,並嚴飭地方文武跴緝，務獲，勿令遠颺。向來辦理洋盜，罪止斬梟，此等行劫外國船隻盜犯，拏獲之日，竟當凌遲處死，庶盜匪共知畏懼，洋面可期寧謐。其該管督撫及疎防各員，並查明交部嚴加議處。（註一〇）

對封建時代的中國政府而言，來稱臣納貢的隨行貨船在自己國土沿岸被劫掠，此事既是重大事件，也是有失宗主國面子的問題，所以無論如何也非將搶犯繩之以法，並對被劫船隻作最妥善的處置不可。而乾隆帝之所以下令各該地方官員加倍賠償其損失，除具有安撫屬國之意外，也當具有對執行海防不力的相關官員之懲誡作用。

至於該貨船所載未被劫掠的其他貨物，清廷政府則採免稅措施。（註一一）因此，就結果上言，該貨船在經濟上不僅未受到任何損失，反而享受了免稅優待。

三、緝捕搶嫌的經緯

乾隆六十年八月初二日，浙江巡撫覺羅吉慶曾奉高宗諭旨謂：

（署閩浙總督）長麟等奏琉球國貨船在浙江溫州洋面被劫一摺，實屬不成事體，可見地方文武於捕盜並未認眞辦理，以致洋面劫盜肆行無忌。……此等行劫外國船隻盜犯，拏獲之日，竟當凌遲處死。其該管督撫及疎防各員，查明交部嚴加議處；并著該督撫即量飭所屬，上緊嚴拏，務期必獲，不得視爲海捕具文，致令盜犯遠颺，自蹈咎戾。仍將現在有無獲犯，迅速具奏。

（註一二）

覺羅吉慶接獲此一命令後，於同月十一日將其捕獲嫌犯之經緯奏報謂：

> 琉球國貨船在洋被劫一案，前經拏獲盜犯林玉頂等供出：「盜首林發枝、蔡大等于五月初三日，在溫州南麂山外洋行劫」，並于所獲盜舡內起出番衣、番布等物，其爲確係林發枝等劫去無疑。本案已獲盜犯林玉頂等，業經審明，斬決梟示。（註一三）

羅吉慶繼上舉奏文之後續謂：

> 據定海縣報：獲盜夥侯開一名，現飭提省確訊，其逸盜林發枝等，當經嚴飭緝匪舟師上緊追拏。茲匪船已由外洋乘風南竄，逃入閩洋。兵船現在出境追赶，與閩省舟師合力攻捕。臣現復飛咨提臣並黃巖等三鎮將，配足兵船，嚴督將備往來巡緝，分路搜拏，如有由外洋潛竄來浙匪船，務期全獲，不使一名縱脫。拏獲之日，謹遵諭旨，即行凌遲處死，俾盜匪共知畏懼，海疆可期綏靖。所有該國被劫貨物，即著落失事地方官加一倍賠償，委員解交閩省督撫，宣示恩諭，給與該夷人收領，以仰副聖主柔懷體卹之至意。（註一四）

亦即當琉球貨船被劫事件發生後，浙、閩地區的地方官除將此一事件呈報中央政府外，既加強海洋的巡防，也還緝捕寇盜，從而得知林發枝、蔡大等人曾經參與劫掠琉球國貨船。由於尚有寇盜在逃，故乃分別命令浙江、福建兩地之舟師合力攻捕。

迄至九月上旬，署閩浙總督覺羅長麟與署福建巡撫魁倫又聯名上奏曰：

> 臣等於九月初二日欽奉諭旨，以玉德奏查詢商船。據稱：山東、江南洋面並無盜匪。又據吉慶奏：搶劫官米及琉球貨船盜首等已逃回閩洋。飭諭臣等嚴密查拏，以期必獲。併以臣等訊問伍拉納等供詞，及審訊周經情節，意存化大爲小，屢經申飭何以未據覆訊據奏？復蒙恩誨，不可存五日京兆之見，輒思遷就完事，自蹈重戾。（註一五）

長麟、魁倫等繼言他們因受高宗諄切之中寓有矜恤保全之意的訓斥後，心中感激、戰慄而頗覺無地自容之意，然後報告緝獲盜匪之經過曰：

> 查海洋盜匪自臣等接署之後，於五、六、七等月拏獲盜犯一百六十名，均經先後審辦具奏。八月間，浙洋盜匪陸續逃入閩洋，經臣等督飭鎮將，於南、北兩洋竭力兜擒，除用炮轟翻盜船，淹斃各盜匪之案，因無犯證不敢具奏外，又據鎮將等拏獲各案洋盜八十餘名，詎各盜犯因查拏緊急，又俱竄入北洋及浙省溫州黃巖一帶洋面。臣等當飭鎮將窮力跟追，赶赴北洋，並恐各犯因洋面不能存身，棄舟登岸，分投藏匿，節次嚴飭海口、陸路各營汛一體留心，認眞搜捕。（註一六）

亦即閩浙總督與福建巡撫將軍等因琉球貨船在浙江外洋被劫，爲高宗所訓斥，而督飭鎮將分別於南、北兩洋竭力兜捕的結果，緝獲各案洋盜八十餘名。豈料其餘各盜犯因政府之查拏緊急，都竄入北洋及浙江溫州黃巖一帶洋面。因此，復飭鎮將們全力搜捕，俾免他們棄舟登岸，分竄藏匿，貽害地方。

據漳浦縣知縣馮國柄，署漳州左營遊擊守備田藍玉暨千總黃耀等稟報，探知積年寇盜張初郎，因被官兵追拏，用火藋擲傷左足，潛逃上岸，在山內躲避養傷。於是該員等乃密帶兵役將其拏獲。（註一七）又據遊擊莊錫舍秉報：

> 在蘇澳鐘門洋面巡遇匪船，跟追擒捕，將匪船擊翻，拏獲盜匪二十一名，淹斃九名；併撈獲黃布旂一面，上書「嘉興縣押運閩米」字樣；又三角旂一面，係琉球布鑲邊；又牛皮四張，似係本年浙江洋面琉球貨船被劫原贓各等情。……即飭發署鹽道牆見羹，候補道府慶保，率同署福州府知府袁秉直傳喚琉球貨船事主認明。現獲布、旂、牛皮，均係被劫原贓屬實，併各盜犯審明定擬，招解前來，臣等親提研鞫。張初郎籍隸漳浦，自幼孤身遊蕩，於乾隆五十四年間出洋爲盜；其行劫洋面、年月、次數，因事隔久遠，記憶不清，所糾船夥，亦去留不定，惟近年行劫各案，尚能供指。（註一八）

莊錫舍繼上舉報告之後，續言張初郎所供述犯案情形，與其在何處殺害何人，何以左足受傷之經過，以及在何時何處有哪些人加入其賊夥等，於八月十五日回至原籍山內藏匿養傷，遂被營縣捕獲。錫舍又報逮捕行劫琉球貨船之盜首林發枝、連大進等賊夥之經緯曰：

> 又，連大進、張晉晉、……李元弟、林全全等，均係行劫官米之盜首林發枝船上夥盜。連大進、張晉晉係五十九年四月間入夥，行劫多次，不能記憶。六十年二三月間，隨同林發枝等在磁澳、白犬各洋行劫商船二次。魏奴奴、林華、王孟友、陳春錦、陳梅梅五犯，係本年五月初三日入夥。船到浙江三盤下洋面，遇見琉球貨船一隻，林發枝即同另船盜首蔡大、舒合、永豐各船駛

攏圍住。連大進、張晉晉、魏奴奴、林華、王孟友、陳春錦、陳梅梅隨同陳發枝劫得夷船衣箱、銀兩、海參、牛皮、布、旂等物，與蔡大等分贓各散。五月二十一日，各犯船至石浦洋面，林發枝會合盜船共三十餘隻，圍劫浙江運閩米船，連大進等劫得嘉興縣米船上衣箱、番銀、黃旂等物。……二十四日，林發枝因閩省查拏緊急，帶同各船回赴北洋；連大進等另坐一船，被官兵追至蘇澳鐘門洋面，將船擊翻，淹斃花旦喜等九名，拏獲連大進等十六犯；併拏獲為盜服役之林印印、吳祥祥，及在船雞姦之楊灼、林奴才、魏桃桃等五名，一併解省審訊，此連大進隨同盜首林發枝在浙江洋面行劫官米及夷船之原委也。（註一九）

由上舉游擊莊錫舍之報告可知，浙江運米船與琉球貨船爲林發枝、連大進等盜匪所劫掠之經過，及這些寇盜在海上肆孽而終於被官府緝獲之梗概。

四、清廷對搶犯的處置

當林發枝、連大進等被捕後，覺羅長麟、魁倫等隨即檢查各原案與該犯等所供情節加以研判，認爲均屬相符；並且雖反覆推鞫，嫌犯們供述之內容亦矢口不移，因此判斷他們似無遁飾。於是遂查往日判例：「江洋行劫大盜，立斬梟示。」（註二〇）又例：「殺一家四命以上兇犯，凌遲處死。」（註二一）而高宗又曾下令：「此等行劫外國船隻盜犯拏獲之日，竟當凌遲處死，庶盜匪共知畏懼」。所以覺羅長麟、魁倫等向高宗報告說：

本（乾隆六十）年臣等具奏琉球貨船被劫一案，欽奉諭旨：「向來洋盜罪止斬梟，此等行劫外國船隻盜犯，拏獲之日，竟當凌遲處死，欽此」。查此案盜首張初郎，積年糾夥肆劫無忌，甚至劫折鎮道奏摺，並搶劫浙洋官米，種種不法，已屬罪大惡極；併敢傷斃水手事主多命。其在虎頭山外洋行劫一案，該犯一人即刃斃二人，推跌落海二人，殺害已有四命，且事主、水手同在一船，亦與一家無異。張初郎應請比照殺一家四命以上，凌遲處死例，凌遲處死；連大進、張晉晉、魏奴奴、林華、王孟友、陳春錦、陳梅梅等七犯，膽敢在洋行劫官米，併敢聽從盜首林發枝，行劫外國貨船，肆意橫行，毫無畏忌，洵非尋常盜犯可比。誠如聖諭，僅照洋盜例擬以斬決，實不足以示懲創。（註二三）

故言其處分情形說：將連大進、張晉晉、魏奴奴、林華、王孟友、陳春錦、陳梅梅等七人，一體凌遲，以昭法戒；葉邦齊、陳嘉嘉、陳興興、謝風、王七七、鄭祿祿、陳進進、李元弟、林全全等九名人犯，經審訊結果，係林發枝等行劫官米、夷船後始行聽糾入夥，僅止於七八月間隨同打劫商船三次，所以葉邦齊等九名人犯應請比照洋盜本例，斬決梟示。並且將一干人犯審明後，隨即請命，飭委署鹽法道牆見龔，署督標中軍副將胡天格，將張初郎及連大進等綁赴市曹，並且通知夷人等前往刑場觀看執行凌遲、斬決之情形，以張國法而快人心。非僅如此，更將被處決人犯的首級分送至各犯事地點梟示，以昭炯戒。至於林印印、吳祥祥等，經審訊後得知，他們係受林發枝一夥之脅迫上船，而被勒令燒火、煮飯，並無參與搶劫、分贓之事實，故照例發往回疆爲奴。至於楊灼、林奴才、魏桃桃，亦係被林發

枝等闖禁雞姦，應照往例「各杖一百，徒刑三年，定地發配」。(註二三)

當時對各主、從人犯的處分情雖如此，但對此一事件的處置並未結束，尚須解決他們的贓物問題。對此一問題，長麟與魁倫繼前舉奏疏之後說：

張初郎訊無眷屬，財產應毋庸議；其失察連大進等爲盜之父兄，牌甲查拘發落；起獲贓物，分別給領充公。(註二四)

清朝當局對張初郎等一干人犯，及其所搶劫貨物的處置情形雖如上述，但在溫州府方面亦曾緝獲搶劫琉球貨船的同夥。浙江巡撫覺羅吉慶於嘉慶元年正月二十二日上奏曰：

據溫州平陽縣知縣趙黻秉報，拏獲行跡可疑之繆亞富、胡亞卯二名，訊係盜首撻窟大即勇(永)豐舡上夥盜，曾於上年五月內，隨同行劫琉球國貨舡，解候審辦等情。臣隨提犯研鞫，緣繆亞富、胡亞卯俱籍隸平陽，乾隆五十九年十一月，繆亞富與倪亞斌、烏隴弟同僱胡亞卯舡隻往海上載柴。駛至官山洋面，遇見閩匪撻窟大，被擄過舡。因倪亞斌、烏隴弟不懂福建語言，人又瘦弱，當即放回。將繆亞富、胡亞卯留下，逼勒入夥。(註二五)

此言浙江平陽縣所捕獲之繆亞富、胡亞卯被迫加入賊夥的經過，繼言此一賊夥在海上打劫之情形曰：

舡上舵工蔡老大，盜夥李亞東等共二十三人，先在福建北沙羅河、東拷、福鼎等洋疊次行劫客舡錢米、衣服、橘餅等物。五月内駛至浙省三盤外洋，遇見另舡盜首林發枝、蔡大、蔡亞十及舒合一共四舡，圍劫琉球國貨缸上銀四百餘兩、衣箱、海參、牛皮并鳥鎗、腰刀等械，與林發

枝等俵分各散。（註二六）

據此奏疏可知，琉球貨船是爲四艘賊船所包圍而被劫，惟那些賊船並未因劫掠外國船隻而暫避官軍之查緝，仍繼續在海上肆孽不已。羅吉慶繼上舉文字之後又言其劫掠及緝獲寇盜之情形曰：

六月內在南石洋復行劫煙絲、橘餅一次。繆亞富、胡亞卯每次俱係過船接贓。七月初六日，舡至溫州南麂洋，胡亞卯患病，上岸先回。十月內，又在東拷洋行劫豆舡一次，因聞兵船兜捕緊急，撻窟大在北關令繆亞富划杉（舢）板舡探聽兵舡信息，即被兵役拏獲，並獲胡亞卯，一並解究。（註二七）

亦即繆亞富原奉撻窟大之命哨探官兵之消息，卻反爲兵役所捕，竟連胡亞卯也被緝獲。當吉慶偵訊時，得知該人犯等既係隨同盜首撻窟大與林發枝等行劫琉球國貨船者，則必知林發枝等人之下落；同時也訊問他們是否曾經搶劫運往福建之官米？及是否曾在閩搶奪炮位等事？且加以刑求，而欲其供述元兇林發枝等人之下落。雖然如此，仍堅稱他們於行劫琉球貨船，大家俵分所得銀兩分散後即不再相遇。因此，實不知林發枝、蔡大、蔡亞十們的船隻到抵駛往何處？至於令繆亞富哨探官軍消息的撻窟大之行踪，繆亞富探信時雖原說要在北關外洋等候，惟已事經多日，所以不知是否仍在彼處云。（註二八）

由於繆亞富等堅決否認曾經參與搶劫福建官米，及在東沖定海搶奪炮位，因此吉慶等官員遂認爲其供詞並無遁飾之處，乃予決案。並且根據「江洋大盜，斬決梟示」，「行劫外國舡隻盜犯，拏獲之日，竟當凌遲處死」之律法，將繆亞富、胡亞卯綁赴市曹凌遲處死，然後傳首示衆，以昭法戒。（註

二九）

至於對繆亞富、撻窟大等一干人犯的父兄牌甲，則飭平陽縣查拘發落，並且嚴飭巡洋兵舡飛赴北關外洋，將撻窟大匪舡實力兜擒，並飭沿海營縣一體嚴密查拏林發枝等務獲，并飛咨原籍，按照姓名、住址查緝，所有拏獲行劫琉球貨舡夥盜，審明辦理緣由。（註三〇）

亦即除對繆亞富、撻窟大等人犯的父兄加以適當處置外，對於仍逍遙法外的主犯林發枝等，則要求沿海營、縣的文武人員繼續嚴密查緝兜捕，俾能繩之以法。

五、結　語

以上所論述者乃在有清一代，琉球國貨船隨其貢使來華貿易之際，於中國近海被劫的唯一案例。清廷對人犯與被劫貨物的處置情形雖如此，但對維護海上治安工作的有關人員也都予以相當的獎勵。如據署閩浙總督覺羅長麟與署福建巡撫將軍魁倫所上奏摺，則其所採獎勵辦法是：

此案拏獲盜犯連大進等之遊擊莊錫舍，該員係陸路遊擊，奉委出洋，即能獲盜，尚屬能事。查該員現無違礙處分，遇缺即可陞補，應令再行出洋，如果始終奮勉，臣等另行奏明請旨。至拏獲盜首張初郎之守備田藍玉，平日勇往正直，兵民咸知感畏；此次獲盜，能將積年巨惡殲除，亦尤爲出力。漳浦縣知縣馮國柄，於奉緝要犯，隨同田藍玉購線買眼，各處踹緝，日久不懈，亦屬認眞，可否量加鼓勵？俯准將守備田藍玉，知縣馮國柄送部引見，俾文武各員共知觀感之處

出自天恩；再馮國柄由鹽大使題陞知縣奉准部覆，尚未引見；田藍玉任內有革職留任處分；合併聲明具奏，伏乞皇上睿鑒。（註三一）

高宗所批的是「即」字，據此以觀，覺羅長麟與魁倫的意見是被採納了。他們對拏獲連大進等盜匪的有功人員的獎勵雖作如上之處置，不過對於稍後捕獲繆亞富、胡亞卯的平陽縣知縣趙瀫的陞遷問題，浙江巡撫羅吉慶在其嘉慶元年正月二十二日所上〈奏報拏獲行劫琉球貨船之盜審明從重辦理摺〉中並未提及，所以無從得知其處理情形。

【註釋】

註一：中國第一歷史檔案館編，《清代中琉關係檔案選編》（北京，中華書局，一九九三年四月。以下簡稱《選編》）嘉慶朝第三十九號檔，嘉慶六年正月初九日，閩浙總督玉德奏〈遵旨虔誠祀謝海神摺〉。

註二：當時獲准免稅的，除貢船、接貢船、護送船外，遇劫船隻與遭風遇難的船隻所載貨物，亦可享受免稅優待。參看《選編》之各相關記載。

註三：《選編》，乾隆朝第一九七號檔，乾隆六十年六月二十二日，署閩浙總督覺羅長麟等奏報〈查辦琉球國貨船被劫緣由摺〉；乾隆朝第二〇〇號檔，同年，福州將軍魁倫奏〈琉球貨船遭劫後進口免稅片〉。

註四：前註所舉署閩浙總督覺羅長麟等奏報〈查辦琉球國貨船被劫緣由摺〉。

註五：同前註。

註　六：同前註。

註　七：《歷代寶案》（臺北，臺灣大學影印本），第七冊，第二集，卷八三，頁四〇五八，〈福建等處承宣布政使司為進貢事咨〉。

註　八：《選編》，乾隆朝第二〇二號檔，乾隆六十年八月初三日，浙江巡撫羅吉慶奏報〈辦理琉球貨船被劫著賠嚴緝摺〉。

註　九：同前註。

註一〇：同註七。

註一一：《選編》，乾隆朝第二〇〇號檔，乾隆六十年，福州將軍魁倫奏〈琉球貨船遭劫後進口免稅片〉云：「據委管南臺口稅務驍騎校四明舉報，據琉球國貨船通事蔡世彥等，奉王世孫命坐駕送還內地商船一隻，裝載貨物隨同貢船開行，于五月初三日駛至三盤外洋，猝遇賊船，劫去貨物銀兩，及防船軍器等物。除被劫外，尚有現存貨物，開單呈送。按則，核計稅銀四兩九錢八分一釐轉報前來。臣隨將該船在洋被劫緣由咨明，暫核臣衙門查辦。所有該船現存貨稅，臣仰體皇上柔惠遠人至意，一併免其輸納，外食，將免過貨稅銀兩數目開列清單之後，謹附片奏問。伏乞聖明臺鑒，謹奏」。同年七月二十六日的硃批是「覽，欽此」。

註一二：《選編》，乾隆朝第二〇二號檔，乾隆六十年八月初三日，浙江巡撫吉慶奏報〈辦理琉球貨船被劫著賠嚴緝摺〉。

註一三：同前註。

註一四：同前註。

註一五：同前註。

註一七：《選編》，乾隆朝第二〇三號檔，乾隆六十年九月初七日，署閩浙總督覺羅長麟等奏報〈拏獲行劫官米及琉球貨船案犯摺〉。

註一八：同前註。

註一九：同前註。

註二〇：註前註。

註二一：同前註。

註二二：同前註。

註二三：同前註。

註二四：同前註。

註二五：《選編》，嘉慶朝第一號檔，嘉慶元年正月二十二日，浙江巡撫羅吉慶奏報〈拏獲行劫琉球貨船之盜審明從重辦理摺〉。

註二六：同前註。

註二七：同前註。

註二八：同前註。

註二九：同前註。

註三〇：同前註。

註三一：同註一七。